略傳

一九一五年六月：夢參老和尚出生於中國黑龍江省開通縣。

一九三一年：在北京房山縣上方山兜率寺，依止慈林老和尚剃度出家，法名爲「覺醒」。但是他認爲自己沒有覺也沒有醒，再加上是作夢的因緣出家，便給自己取名爲「夢參」。

同年在北京拈花寺受比丘戒，戒期圓滿南下九華山，朝禮地藏菩薩道場，正遇上六十年舉行一次的開啓地藏菩薩肉身塔法會；由於因緣殊勝，爲老和尚爾後弘揚地藏法門種下深遠的影響。

一九三二年：轉赴福建省福州市鼓山湧泉寺參訪，他對湧泉寺當時的一切境界似曾相識，彷彿故地重來。

當時虛雲老和尚於鼓山創辦法界學苑，並請慈舟老法師主講《華嚴經》。他決定依止慈舟老法師學習《華嚴經》，歷時半年仍無法契入華嚴義海，遂親自向慈舟老法師請法；之後決定以拜誦〈普賢行願品〉、燃身臂供佛的苦行，開啓智慧。

除依止慈舟老法師，學習《華嚴經》外，更旁及虛雲老和尚的禪法，有時也奉慈舟老法師之指示，代講經論，諸如《阿彌陀經》等等。

一九三六年：赴青島湛山寺，依止倓虛老法師學天台四教，並擔任湛山寺書記，負責倓虛老法師的庶務以及對外連絡事宜。

在湛山寺擔任書記期間，一方面向倓虛老法師學習天台四教，及宣揚慈舟老法師的戒律精神。隨後奉倓虛老法師之命，禮請慈舟老法師北上青島湛山寺講律；又護送慈舟老法師到北京，開講《華嚴經》。

一九三六年底：再度奉倓虛老法師之命，赴福建廈門萬石巖，禮請弘一大師北上弘律，歷時半年之久。因《梵網經》的請法因緣，弘一大師同意北上湛山寺，開講〈隨機羯磨〉。

一九三七年：擔任弘一大師的侍者半年，以護弘老生活起居，深受弘一大師身教的啓發。當時並就近依《占察善惡業報經》所描述的占察輪相，請弘一大師親手製作一付，以供修習。

弘一大師爲了答謝他擔任半年的外護，親贈手書的「淨行品」偈頌乙本。

一九三七年至四〇年：隨同倓虛老法師在長春般若寺傳戒，講四分戒律，並往來於東北各省、北京、天津、山東等地，講經弘法。其間曾接觸來自西藏的藏僧，引動了赴西藏學習密法的因緣。

一九四〇年：由北京至香港、新加坡、印度弘法，並朝禮佛陀遺跡。

一九四一年：轉赴西藏拉薩學習密法，住在西藏黃教三大寺之一的色拉寺學習經論五年，依止夏巴仁波切、赤江仁波切，並因能海老法師的引進參拜康薩仁波切。

一九四五年至一九四九年：轉赴西康等地參學，總計在西藏學習達十年之久。

一九五〇年：由西藏返回中國內地，被錯判刑十五年，勞動改造十八年，入獄長達三十三年。在獄中，他經常觀想一句偈頌：「假使熱鐵輪，在汝頂上旋，終不以此苦，退失菩提心。」奠立了爾後重回佛教，弘揚佛法的信心。

一九八二年：平反出獄，回北京任教於北京中國佛學院；在這段時間如法修學地藏法門，重啓弘揚經論的智慧。

一九八四年：接受福建南普陀寺妙湛老和尚、圓拙長老之邀，到廈門南普陀寺重建閩南佛學院，並擔任教務長一職，開講《華嚴經》、《法華經》、《楞嚴經》、〈大乘起信論〉等。

一九八七年：應美國萬佛城宣化上人之邀，赴美數月後返回中國。

一九八八年：應美國洛杉磯妙法院旭朗法師之請，再次赴美弘法，開講《占察善惡業報經》、〈華嚴三品〉、《地藏經》、《心經》、《金剛經》、《華嚴經》等，並數度應弟子邀請到加拿大、紐西蘭、新加坡、香港、台灣等地區弘法。

二〇〇四年：住五台山靜修，並於普壽寺開講《大方廣佛華嚴經》。

二〇〇六年：講演《華嚴經》同時，並應四眾弟子啓請，同時開講《大乘大集地藏十輪經》。

二〇〇七年：《大方廣佛華嚴經》講演圓滿，歷時三年又一個月，共五百餘座。並以九三歲高齡開講《大乘妙法蓮華經》。

二〇〇八年：應弟子之邀請再度前往台灣、香港等地區弘法。回到北京後前往五台山，並於農曆六月初一於普壽寺開講《大佛頂首楞嚴經》。

大乘大集地藏十輪經

無依行品第三

夢參老和尚　主講

大乘大集地藏十輪經

夢參老和尚主講

無依行品第三

「爾時會中有大梵天名曰天藏，久植善根，住第十地，具諸菩薩摩訶薩德。即從座起，合掌禮佛，而說頌曰：

功德藏慧海　我今問所疑　願慧海垂聽　爲我除疑滯
我等今渴仰　德藏勝法味　及最上義味　舉眾咸欲聞」

這個偈頌是讚歎佛的功德，「藏慧海」是指著佛說的。佛是含藏一切的功德，含藏一切的智慧，像海那麼深，像海那麼廣。他說，「我今問所疑」，我現在有點疑惑，可不可以請問，可不可以請求。「願慧海垂聽」，願佛憐憫，可以聽我說一說。那麼就可以爲我消除這個疑惑。疑惑就是滯礙，有滯礙就不能前進。把疑惑去除了，我就能修了。

我們與會的大衆都渴仰，渴仰什麼呢？「德藏勝法味」。「德藏」是稱讚佛，稱讚世尊是含藏一切的功德，有殊勝的法味，這個法味就是佛說法的時候有一種味道，就像我們飲食的時候，感覺到生起妙味，這是諸法妙味。像你生起歡喜心，生起踴躍心，生起精進心，生起懺悔心，這包含很多，隨各人聞法的慧力，以及自己的善根力量。「最上義味」就是聞到法味，聞到最上的第一義諦，這個義是指第一義，誰都想得到這種殊勝的第一義，有智味，而且能得到飽足。聞到法味而飲食受用，那就自己去作！去行！所以，現在大家都想聽一聽。

我們要先知道〈無依行品〉的涵義，才知道這個法味的意思。「無依行」就是行無依。這是說在你行法的時候，生起的善根功德所依處，但卻沒有依處！「無依」就是沒有依處。行法本來是能生功德善根的所依處，這是無依，沒有所依處。爲什麼沒有？或者你緣念邪知邪見，作種種的業。或者是惡緣，沒有遇到明師，遇著惡友引誘你，那麼你行法的時候，沒有功德善根爲所依止，你的所作所爲就不能產生善根，不能產生功德。那會產生什麼呢？產生罪過。以下一共有十種。

「佛告天藏大梵天言：如來今者恣汝意問，當隨問答，令汝心喜。大梵天言：唯然世尊，以頌問曰：

利慧修定者　安住不放逸　爲住勝義諦　爲依止生死
晝夜於法義　精勤而誦習　爲渡煩惱海　爲退墮惡趣
勇猛勤營福　爲定趣涅槃　爲處生死中　退墮於惡趣
聰慧刹帝利　成就十種輪　爲沈生死中　爲當升佛果
雜染心難伏　諸煩惱所亂　以何淨其心　修定福誦業」

佛就稱讚天藏大梵天所問的問題。佛告天藏大梵天說：「如來今者恣汝意問，當隨問答，令汝心喜。」大梵天言：「唯然世尊，以頌問日」。他先請示，前面這個頌就是請示佛，我有疑問，可不可以給我解答。解答之後，使我們都聞著勝妙的法味，聞著最殊勝的義味。法味義味，法裡含著有義理。佛又答應他，「隨汝所問」，你要問我，就給你解釋、答覆你。

大梵天就用這個偈頌來問，他一共說了五頌，每頌是四句。他說，有智慧很聰利的人修定、修三昧，能夠不放逸。這個不放逸包括不掉舉、不昏沈。像這一類衆生是住勝義諦嗎？還是隨著生死流轉呢？還是依止生死流轉呢？是依止勝義嗎？還是依止生死流？假使有這麼一個利慧修定的人，他安住不放逸的精進修行，他是住在勝義諦？還是依止生死？這是一個問題。

「晝夜於法義，精勤而誦習，爲渡煩惱海，爲退墮惡趣。」法就是佛所說的經，經裡頭就含著有義理。每部經都有義理，是無上義，是第一義諦。所以每一法都叫諦法。他對佛法的義理，晝夜的誦習讀誦大乘，而且是精進勇猛，精勤的不懈怠。這是不是能夠渡煩惱海？他這樣作是渡煩惱海嗎？還是退墮惡趣？這跟前面是一樣的涵義，一個是修定的，一個是讀誦大乘修慧的，修福的。

下面是營福的，「勇猛勤營福」，作一切佛事，還是勇猛精勤的去作。「爲定趣涅槃，爲處生死中，退墮於惡趣。」營福業的這一類衆生是不是能夠以他的福德力量趣向於涅槃呢？還是處在生死當中呢？退墮到惡趣呢？這又是一個。

第二個問題，聰慧刹帝利成就十種輪。「爲沈生死中？爲當升佛果？」前面所說的刹帝利王種，刹帝利灌頂王，他成就了十種王輪，登了金輪王位，或者銅輪王位。刹帝利有四種，我們舉的都是金輪王，具王四洲的。他成就了十種王輪了，他還是在生死當中浮沈呢？還是當升佛果呢？能夠成佛果呢？

「雜染心難伏，諸煩惱所亂，以何淨其心，修定福誦業。」這是總說這些偈頌。現在的衆生，不論修定的也好，修誦業的也好，營福的衆生也好，他的心是雜染心。刹帝利灌頂王，他爲什麼這樣問？營福能不能趣向涅槃？持誦業能不能成到佛果？修定能不能成就三摩地？一正一反，他爲什麼要這樣問呢？「雜染心難伏」。衆生的煩惱心、雜染心很難調伏，往往在行道的時候，他那個心不能專注一境，會受到煩惱擾亂，以什麼方法才能使他的心清淨下來修定修福？作這樣殊勝的事業？

現在當前的時代，就是末法的時候，有好多的道友修定，乃至於讀誦大乘，訂成日常的功課，每個寺廟的早晚功課，都是讀誦大乘。還有一些密咒，作佛事，或者誦經、禮拜。或者有道友們、齋主來請求，或者設齋營福。那麼，作這些福業能不能成道？能不能成佛果、成道業？爲什麼這樣問呢？因爲他作的時候是雜染心，雜染心是善惡兩種心都有，他的心不能專注一境。

誦經的時候大家都知道，不容易貫注經文的前義、中義、後義。從第一句開始念經題，以至於最後迴向，完了之後，這中間有沒有雜亂妄想？心是不是清淨的？我們自己都可以判斷。有的時候清淨，有的時候念的念的不知念到哪兒！念的打瞌睡的時候也有。在沒有用功的時候，還感覺不出來，你一用功，昏沈、掉舉全來了。一下子就想到別的事，一下子又就想到其他的事，這兩者是最容易干擾的。在這裡念經，口裡是在念，好比你念熟了，念了好多年的〈普門品〉，你念了十年以上了，都會背了。就像我們拜懺，拜沒有好久，大家都背得了。背得了之後，更容易散亂。口裡在念，心裡跑到別處去了！這樣有沒有福報呢？我認爲有的。起碼他的口業身業是定的，只是妄想不能夠清淨。

他所問的問題是怎麼樣能淨其心！要淨心修定、修福，乃至於這樣子來讀誦，這樣的效果才大。如果以雜染心，煩惱把你擾亂了，是不是還有功德呢？佛有沒有善巧方便的方法，令這衆生去掉雜染心來修定、修福，來習誦？他問的涵義是這樣的意思。

「爾時世尊告彼天藏大梵天曰：善哉善哉！汝善辯才，能問斯義，汝於此法已作劬勞，汝於諸行已得圓滿，汝於過去殑伽沙等佛世尊所，已勤三業，興隆正法，紹三寶種，今爲饒益無量衆生，復問如來如是深義。善男子！有大記別法名無依行，過去一切諸佛世尊，爲欲成熟諸有情故，爲令厭離生死法故，爲令除斷業煩惱故，爲令三乘速圓滿故，宣說住持此無依行大記別法。」

佛就答覆這位天藏的大梵天說，你問的很好，你是辯才無礙的，善於辯才所以能夠問出這種道理。「斯」就指他上面所問的這些問題。「斯義」就是這些的義理。「汝於此法已作劬勞」，說你對這個法已經修了很久。「劬勞」就是讚歎他很辛苦，很精進，因此你對你所問的諸法，已經圓滿了。諸行已經得到圓滿了，他已經到了十地，住到十地的菩薩，到法雲地，已經將近圓滿了。你不但現在問我，在過去恒河沙數那麼多的佛世尊所，你也如是問。

這種深義都是你經過修持的，經過自己作的，有經驗的，他已經知道。在修定的時候，修讀誦大乘修慧業的時候，修福的時候，那是雜染心，煩惱所惱，能不能了生死？能不能證到佛果？他是經驗過的，用雜染心是不可能證得的，必須得清淨心。有什麼方法能夠使他心不妄動呢？能夠證得清淨心呢？

所以佛就讚歎說，你在無量的過去恒河沙數那麼多的佛世尊面前，你的身口意三業，精勤修行，護持正法，興隆正法，紹三寶種，也如是這樣問過諸佛世尊。爲了饒益無量衆生，現在你復問我如是深義，這個道理是很深的。

你說雜染心，沒有福報，淨心又從何而得？善根是逐漸種的，惑業是逐漸消的。諸佛菩薩都是經過無量劫的修行，釋迦牟尼佛是示現的化身，修三大阿僧祇劫，何止三大阿僧祇劫？地藏菩薩的修行是無量無量劫，好多個三大阿僧祇劫。所以，佛道難成！

善男子！有大記別法名「無依行」，諸佛都如是。「大記別」就是授記，佛本來預言未來如何如何如何，這叫記別。乃至於佛證實了某個弟子，說你到什麼時候、什麼時候，經過多少劫，你要成佛了。成佛的時候，你叫什麼名號，那國土叫什麼名字，那世界叫什麼名字，這叫授記，這是指法說的。

「大記」，是指法，不是指人。說未來的一切衆生，如何如何如何，這也是記別。正法、像法、末法，這也是記別的涵義。末法時代，衆生如何如何，乃至佛法稀少，作業的多，斷見、常見、惡見很多。

「現在十方諸佛世尊，亦爲成熟諸有情故，爲令厭離生死法故，爲令除斷業煩惱故，爲令三乘速圓滿故，宣說住持此無依行大記別法。未來一切諸佛世尊，亦爲成熟諸有情故，爲令厭離生死法故，爲令除斷業煩惱故，爲令三乘速圓滿故，宣說住持此無依行大記別法。汝於過去諸如來所，已具得聞此無依行大記別法。我於今者，亦爲成熟諸有情故，爲令厭離生死法故，爲令除斷業煩惱故，爲令三乘速圓滿故，宣說住持此無依行大記別法。汝應諦聽，善思念之，吾當爲汝分別解說。」

無論過去現在未來諸佛，三世諸佛爲了讓一切衆生斷他的業，斷他的惑，斷他的煩惱。讓他成熟，離開生死，證得涅槃，成就三乘果位，不再在六道輪迴，也宣說這個無依行的大記別法，而且三世諸佛是這樣說的。「汝」是指天藏大梵天，說你在過去諸佛所，已經得聞了此無依行大記別法，你都聽說過了，但是你爲了利益衆生的緣故，又來請我說。我現在也是爲了成熟一切諸有情的緣故，讓一切有情斷煩惱證菩提，爲令他們厭離生死，爲令他們得證涅槃，爲令他們證了聲聞緣覺菩薩的果位，速成圓滿，也要宣說此無依行的大記別法。

「汝應諦聽」，你要好好的聽，如理的聽。佛對問者的答覆都是如理聽、諦聽。十地果位的菩薩，乃至於文殊菩薩問、地藏菩薩問，佛都是答覆諦聽、如理聽，就是對我們說的。我們一定要如理的、審思的，這叫作聞，就是聽。聽聞就是聞慧，聞思修，不聞你怎麼能思惟呢？不思惟，你怎麼能修呢？否則是盲修。你必須知道怎麼修，怎麼去作，作有作的方法，所以叫他諦聽。

「爾時天藏大梵天言：唯然世尊，願樂欲聞。佛言大梵：有十種無依行法，若修定者，隨有一行，尚不能成欲界善根，設使先成，尋還退失，況當能成色無色定，乃至三乘隨成一乘。」

「爾時天藏大梵天言：唯然世尊願樂欲聞。」我一定照佛的囑託，我願諦聽，很希望聽到佛說。「佛言大梵，有十種無依行法。若修定者，隨有一行，尚不能成欲界善根。設使先成，尋還退失，況當能成色無色定，乃至三乘隨成一乘。」這是說有十種無依行法，他行法的時候無依，不依著三寶，不依著佛的教法，這樣修定不得成。

這十種無依行法，有一種都不能成就，連欲界的善根尚且成就不了。如果他先成就了，他行法的時候，十種無依當中，有一種無依，他以前有的都會退失。我們的善根，我們的福報，不是無限量的。如果今生不修，今生就退失以前的福報。今生享受完了，就沒有了。

學道者，要是不精進，一懈怠，「學如逆水行舟，不進則退。」你不勇猛精進，未達到不退位的時候，還是會退的，除非成了佛。成佛就是他的身口意不需要再加護念，不需要再加作意，自然的，沒有一點的不善。像那大菩薩摩訶薩八地以前的菩薩都要護念，阿羅漢雖然是證得了，他認爲是涅槃不動，他要護他的身口意，這叫有護。佛已經到了不護的地步，到了不護地。

這十種的無依行，你有一種，想成就欲界的善根是不可能的。以前成就的，現在有了無依行，有那麼一法，你就退失。你要想修禪定，得禪定，不可能，一般禪定都得不到。色界的禪定，無色界的禪定，都得不到。也就是四禪四空定，八定一個也得不到，何況你說的聲聞緣覺菩薩三乘的果位，一乘也成不了，就是這樣的涵義。以下就說十無依行。

「何等爲十？一者世有一類，雖欲修定而乏資緣，經求擾亂。二者復有一類，雖欲修定而犯尸羅，行諸惡行。三者復有一類，雖欲修定而顛倒見，妄執吉凶，身心剛強。四者復有一類，雖欲修定而心掉動，不順賢聖，諸根輕躁。五者復有一類，雖欲修定而離間語，破亂彼此。六者復有一類，雖欲修定而麤惡語，毀罵賢聖。七者復有一類，雖欲修定而雜穢語及虛誑語。八者復有一類，雖欲修定而懷貪嫉，於他所得利養恭敬心不歡悅。九者復有一類，雖欲修定而懷瞋忿，於諸有情心常憤恚。十者復有一類，雖欲修定而懷邪見，撥無因果。大梵當知，是名十種無依行法。若修定者隨有一行，尚不能成欲界善根，設使先成，尋還退失，況當能成色無色定，乃至三乘隨成一乘。」

「何等爲十？」徵啓的意思，哪十種呢？「一者世有一類，雖欲修定而乏資緣，經求擾亂。」你要想修定，得有資糧，先備辦資糧。修定資糧有兩種，你要有個寂靜的處所，有人護持你，衣食住行什麼都有，不要再操心，不要起心動念。這都是行道的資糧，更重要的是法的資糧。你要修定，要先修加行。你先懺悔懺悔，消除業障。我們受過三歸，受過五戒，都先懺悔，就是這個意思。

你沒有資糧，要想修定、靜修，辦不到。辦不到，你心裡頭的妄想一定會生起的，吃了這頓沒下一頓，怎麼辦呢？還在那兒坐靜的時候，就想起來了，明天還沒有下鍋的米，或者你穿的衣服不夠，不能禦寒。或者你修道的處所蚊子很多，咬你叮你，定力還不夠的時候，你是定不住的。想住在山裡，找一個寂靜處，山林不是那麼好住的。在中國講，你未破參的時候，不能住山，也就是你定不了，沒有那個定。第一種就是無依，沒有資糧所依，這樣去修行，是不成的。這是第一個。

「二者復有一類，雖欲修定而犯尸羅，行諸惡行」，犯了戒，破了戒。尸羅是保護你的，尸羅是生善的根本，是防非止惡。如果你犯了戒，破了律儀，你想修定是不可能的。沒有守戒就是犯戒，犯戒就是行惡行，行惡行要想去修定是不可能的。這是第二個無依行。

「三者復有一類，雖欲修定而顛倒見，妄執吉凶，身心剛強。」想要修定，就用顛倒見，吉凶禍福，吉凶禍福包括很多。顛倒見是什麼？看見這個房子，或者住宅，一進去看，就說你這個地方不對，這個窗戶沒有開好，這個門沒有開好，這樣開了要招凶，你要改正一下。要怎麼樣才是吉，這叫顛倒見。吉凶禍福是由你過去的業，過去的因而定，而且吉人處惡地，惡地也變吉了，惡人處吉地，吉地也變惡了。一切在人，不在那個處所，也不在那個屋子。

你有顛倒見的時候，妄執吉凶禍福，身心很剛強，他不接受正知正見的。佛沒有這樣說，乃至說神通，乃至大妄言，那不屬於這裡頭。乃至吉凶禍福醫人星相這一類，這一類就是顛倒見。顛倒見是在什麼地方顛倒？因果顛倒了，不相信善惡因果。

「四者復有一類，雖欲修定而心掉動」，心定不下來！掉舉就是妄念很多，非常雜亂，也就是諸根煩躁。修定的人，起碼六根要收攝一下。爲什麼我們習定的時候，眼睛要張三分，閉七分，眼根不向外頭去尋伺，到處看！要靜下來！眼對境的時候，要靜下來，耳聞聲的時候，要靜下來！為什麼要找寂靜處呢？沒有吵擾。你住在大路上，汽車來往的聲音，你那定怎麼修得下去呢？修不下去。這都是屬於掉舉。心掉舉，沒有按聖賢的教導去作，諸根很煩躁的，身體坐不下去。眼耳鼻舌身這六根都輕躁浮動。

「五者復有一類，雖欲修定而離間語」，就是破戒的現象。前面說那破戒的，挑撥離間，如果不說挑撥離間話，他過不去。也就是看人家好了，他還有一個嫉妒心，他在中間造謠生事，彼此說破壞話，這個我們不需要舉例，誰都懂得這個道理。

「六者復有一類，雖欲修定而麤惡語」，口裡說話，盡帶不乾不淨的，帶很污髒的語言，就是麤惡言。或者是「毀罵聖賢」，這裡頭包含著謗佛、謗法、謗僧，乃至賢人、道友之間。人家修道，他就生起障礙。這個中間都含著有爭利，爭名也含著在裡頭。不過是麤惡語，他不是無緣無故就罵人，總有個涵義。說這種語言的，是無依。你要修行無依，有惡依，沒有善依。

「七者復有一類，雖欲修定而雜穢語」，雖想修定，這雜穢語就是綺語。綺語，說話沒有意義，也就是閒聊，或者聊天。聊天，在此方叫沖殼子（閒聊天），好像那個糧食，要是把外殼去了，現了眞實的殼子，沖的還很有意義的。但說這些沒有意義的話，雜穢還加上不乾不淨的話，雜穢言虛誑語、說假話騙人，就是妄語。

「八者復有一類，雖欲修定而懷貪嫉」，慳貪嫉妒，這以下是三個貪瞋癡。他自己貪，他沒有得到，看見別人得了，他生起嫉妒。看人家受恭敬、受供養，或者經營商業，或者不管作什麼，得了利益，他不但不隨喜，不生歡喜，反而嫉妒。嫉妒，他就破壞了，於他所得到的利養，不生恭敬心，不生歡悅心，就生起嫉妒障礙。

「九者復有一類，雖欲修定而懷瞋忿。」瞋恨心對別的有情，他總是看的不順。或者看別人的行動，他也不順。看人的言語，他也不順。他自己心裡頭有一種瞋恨心，有瞋恨心就有憤怒。憤怒，瞋在心，忿在相，他的相就顯相，而對一切的有情，他常生起一種忿恨心。這個不涉及利害關係，就是他對一切衆生，就是我們所說的憤世嫉俗。對這個世界上，他非常嫉妒，非常貪，由於他沒有得到，嫉妒人家得到了，所以他常生瞋恨。

「十者復有一類，雖欲修定而懷邪見」，邪見就是愚癡，也就是貪瞋癡的癡。愚癡，邪見，不相信因果。不相信因果，就撥無因果，不相信作善得善報，作惡受惡報。不相信因果，這叫撥無因果。

「大梵當知，是名十種無依行法，若修定者隨有一行，尚不能成欲界善根，設使先成，尋還退失，況當能成色無色定，乃至三乘隨成一乘。」佛又對天藏的大梵天說，你應該知道，上面我所說的，叫作十種無依行法。行法的時候，不依善法而作種種的惡業行，行就是作惡業，無依就是沒有善法的所依。要是修定的修行者，行人隨著十種當中有一種，他想成就欲界的善根，生到天人，得福報。轉到大富，轉到來生的時候，很安樂很愉快的過一生，這是不可能的。

所以我們的一生很愉快，我們應當感謝自己的過去。求人不如求己。你過去作的有善根，今生自然就享受。你過去傷害別人很多，今生也受人家傷害很多。過去你無意的傷害別人，自己還不知道。你今生，也是受別人的無意傷害。就像台灣的飆車族，警察把他逮捕了，問他爲什麼要這樣作？爲什麼要殺人？跟他有怨嗎？有沒有認識嗎？不認識！自己也不曉得爲什麼要這麼作！這就是共業所感。這不是一個人的業。

我們想要修善根，轉變我們過去的業。怎麼可能？今生所修的都是無依行。怎麼樣叫有依行呢？下面會講。我可以先說一下，像我們歸依三寶，受了三歸五戒。受了三歸五戒，那是依著善行，有依，是依什麼呢？依三寶，依著佛所說法的教導，相信因果，那當然就有依。有依，不但是你遇見善根能成就，三乘果位也能得到，一定能成佛！

但是一天當中有很多雜染心，我們隨作隨懺。當懺悔的時候，拜懺的時候，你就迴向。迴向今生所作的錯誤事情，所起的雜念，所起的不正確的念頭，身體所作的不端正的行爲，甚至破戒。破戒，隨時懺悔，懺悔了還復清淨。

這是有所依，依佛所教導的懺悔法，依著三寶而修行。佛有一定的教導，就像這部經，是修持來去念。這是有依，依正法而修定，修行十善業。這叫有所依，能夠成就三乘的道果。不止這十個無依，下面還有。

「復次大梵，又有十種無依行法。若修定者隨有一行，終不能成諸三摩地，設使先成，尋還退失。何等爲十？一者樂著事業，二者樂著談論，三者樂著睡眠，四者樂著營求，五者樂著艷色，六者樂著妙聲，七者樂著芬香，八者樂著美味，九者樂著細觸，十者樂著尋伺。」

前面那十法是初行。還有十法，如果具足這十法，你想修得諸定，高深一點的定，三摩地就是三昧，過去生所成就的，今生有了這十種的無依法，隨有一法，也會捨掉，也會退墮、退失，沒有了。這十種名詞，下面會一個一個解釋。

「大梵當知，是名十種無依行法。若修定者隨有一行，終不能成諸三摩地，設使先成，尋還退失，若不能成諸三摩地，雖集所餘諸善法聚，而有是事，追求受用信施因緣，發起惡心心所有法，於諸國王大臣等所，犯諸過罪，或被呵罵，或被捶打，或被斷截肢節手足。由是因緣，或成重病，長時受苦，或疾命終，於三惡趣隨生一所，乃至或生無間地獄，如嗢達洛迦，阿邏荼底沙，瞿波理迦，提婆達多，如是等類，退失靜慮，乃至墮於無間地獄，受無量種難忍大苦。」

「大梵當知」，佛又叫這位大梵天，跟他說，他是當機衆。這十種的無依行法，要修定的，隨有一行，也不能成就諸三摩地，想求三昧求得深定，是不可能的。不但不可能成現生的，過去有的，「尋還退失」。「若不能成諸三摩地，雖集所餘諸善法聚，而有是事，追求受用信施因緣，發起惡心心所有法，於諸國王大臣等所，犯諸過罪。」「犯諸過罪」，是說定修不到，還有別的善法呢？所餘的諸善法聚。「所餘諸善法」，是指什麼呢？沒有得到定，那麼我們誦經，作佛事，這也是善事，這也是善法聚。有這等事，假這個餘善法去追求享受，追求受用就是享受，受人家的信施因緣。因爲信三寶的人，布施供養了。

因為有這個因緣，他就去追求。追求就去化了，這是化緣的意思。化緣的時候，有時得到了，有時得不到。他的心裡，就生起惡念。惡念，心心所有法，心所有法是與心相應的，而且是同時發起的，與心同時發起的。心只是八識心，心所有法有五十一個。但是心生起個惡念與心相應的忿隨煩惱都來了，那是與心相應的、一起同時發起的。

在這個國土裡，在這國王大臣等所，他會犯很多錯誤的，因為他追求這個受用，以這個心識緣去追求。去追求了，就會犯很多的過錯，犯了過錯就被這個國王大臣訶責，或者被捶打，或者是被截斷手足、胳臂、肢節，也就是四肢。或是受了捶打，之後，或者成了重病，或者長時間受苦，或者因此而命終。命終之後墮到三惡趣了，隨他一生的所作所為，乃至生到無間地獄了。

這裡佛只是舉個例子，如嗢達洛迦、阿邏荼底沙、瞿波理迦，這三種是外道。提婆達多是佛的堂弟，阿難的哥哥，他是犯五逆罪的，出佛身血，破和合僧，他想當佛。像如是等類，他們都退失靜慮，也就是退失定。過去有的，乃至於習靜慮、習定的時候，不但退失了，而且墮到無間地獄了，受無量的種種難忍大苦。苦難很多，「難忍大苦」。

你們看《地藏經》裡當中有些苦，如果以我們這個肉體去承受，是無法忍受的。如果你想那個苦，你會受不了。但是受到了，你無力抵抗，也就受了。身心所受的折磨，那就是我們過去受了，都忘了。無量劫來，誰都受過，但是都迷了，也就忘了。如果那個境界再現前的話，修道的心，可能可以成就的快一點。知道苦，就不敢再造業了。

這幾個外道都是修外道定的，也是修定的。提婆達多修道修了十二年，最初出家的時候是很好的，後來他沒有成道，他就抱怨，去找外道，去學神通。神通學到了，他就作惡事了，這就退失了。

「爾時世尊告阿若多憍陳那言：吾聽汝等給阿練若修定苾芻最上房舍最上臥具最上飲食，一切僧事皆應放免。所以者何？諸修定者若乏資緣，即便發起一切惡心心所有法，不能成就諸三摩地，乃至墮於無間地獄，受無量種難忍大苦。」

所以修定必須具足因緣，資糧必須得具足。佛又重說了。佛最初成道之後，到鹿野苑度五比丘，憍陳如是上首，是上首出家的第一個，這是佛的上首大弟子。受比丘戒的當中，他是第一個，他們一共有五個人。這五個人就是五上首，也叫五比丘。他們以前是在皇宮隨著佛一同出家的。他看到佛在苦行之中，跟佛一起修，後來看佛受牧羊女的乳酪，他們以為佛退道心了，不修苦行，他們也就離開佛了，到鹿野苑去修。鹿野苑離菩提迦耶沒有好遠，佛在迦耶菩提場成道之後，就到鹿野苑去，先度他們五個，給他們說法。他們五個是最先得度的。

所以說阿若憍陳如是最上首的弟子，他是管理一切的分配。佛為什麼要跟他說呢？因為房舍、臥具、飲食，都是聽他的安排。佛就跟他說，我許可你給那個修定的比丘，給他最好的房舍，最好的臥具，最好的飲食，他在一切的僧事上，應當勞動的事都免了，叫他安心修定。為什麼要這樣作呢？所以者何？這就是儆啓的意思。我爲什麼要許可你對這修定者，給他們這麼好的照顧。

佛就跟他說，如果習定的人，沒有資糧，沒有很好的環境，他就會生起惡心。惡心雖然不是很嚴重的，可是他會抱怨，在修的時候，不安心。是這樣的意思，這種情形，大家可能有經驗過的。

我在上房山時，那些住茅蓬的道友們，有時候大家碰到一起，到常住領完下來，拿了一小包用紙包的鹽巴。「常住好慳吝，才給我們這麼點的鹽呢？這三十天怎麼辨呢？一個月才發這麼一點的鹽巴？」他說，常住苦，沒有供養。那時候我們北方是發小米，發玉米還好一點，經得起餓，小米就不太經得起餓。哪有小米粥？是小米，三十斤，常住還留三斤。那麼，三十斤留三斤，一共發給你二十七斤。這一點鹽巴，你拿到茅蓬去，只能煮稀飯，修定的人需要的糧食不多。

我要說的就是他的抱怨。資糧不足的時候，怎麼修行得下去？那就去攀緣了。像我們那時候出家不久，並不是老修行，也沒有緣份。老修行就想：

「哪個施主該照顧我一下，該給我送來！」或者他心裡就想這些，那定怎麼修？佛是瞭解眾生心，瞭解一切的事物。所以免了他們一切的勞務，照顧的特別好。特別好了，能不能修呢？兩者都不可以，增長貪心也不可以！

在河北省有一位大德，他發心要供養修禪定、住靜的人，你要什麼就給什麼。有些人就到常住處，要最好的毛氈，他也給買，要好錶，他也給買。而且每間屋子有暖水瓶，那時候是很高級的。他要那些人在那兒住定下來，每個屋子要暖水瓶，他給每人買一個。身體住的不好，要吃餃子，在北方能吃餃子就是很高級的，他照樣給他煮餃子。而後，他這個禪定是不是修的很好呢？不是！到了最後，他的福德不夠，修禪定的人漸漸的都跑光了，一個都沒有剩下，他也結束了那間道場。那是一九三幾年的時候，三五、三六、三七，大概不到三年，就結束了。

過份苦不可以，過份好也不可以。好了，他又放逸。苦了，他就抱怨。可是，資緣是不能夠缺乏的，否則會引發起惡心所。但是資緣特好，特方便，他的惡心所也成立了。攀緣、貪求，他定不下去，也修不下去。所以不能成就三摩地，甚至墮到無間地獄，受無量難忍大苦。

「修定行者若具資緣，諸三摩地未成能成，若先已成，終不退失。由此不起一切惡法，廣說乃至不善尋伺，往生天上，證得涅槃。修定行者，若未成就諸三摩地，初夜後夜當捨睡眠，精進修學，遠離憒鬧，少欲知足，無所顧戀，一切貪瞋忿覆惱害，憍慢貢高，慳悋嫉妒，離間麤惡，虛誑雜穢，一切人間嬉戲放逸，皆悉遠離。如是行者，應受釋梵護世四王轉輪王等讚歎禮拜恭敬承事，奉施百千那庾多供，況剎帝利、婆羅門、筏舍、戍達羅等，未得定者，尚應受此讚歎、禮拜、恭敬承事、奉施供養，何況已得三摩地者。爾時世尊而說頌曰：

修定能斷惑　餘業所不能　故修定爲尊　智者應供養」

修定的行者，一定要具足資緣。那時候，諸三摩地未成就的能夠得成就。要是先成，已經成就的，那就更增長，再不會退失。那麼，有定力，心能降伏得住，一切惡法都不起。「廣說乃至不善尋伺」。尋伺，是追求的意思，不去追求的意思。這樣子，可能往生到天上，證得涅槃，更能夠修成。或者修四禪四定，或者四空四定，就可以生到天上，乃至再深入的修諸三摩地，乃至於究竟證得涅槃，乃至證成三乘果位。

這是佛讚歎修定的。在世間修行的時候有三種，第一種是修定心，第二種是讀誦，第三種是營福。這個修定的行者就是修行的人，行道的人。定，就是靜慮、寂靜。在修因的時候，就是修寂靜，修靜慮，修觀，而後成就的時候，達到三摩地。三摩地，前面講了很多，等持，翻寂靜。修定行的人應該作些資糧的工作，修的時候，你才容易證得。你們要注意的事項，也就是環境，外面的客觀的情形，你都應當注意。

如果你還沒有成就三摩地，也就是還沒有得到定之前，你就要辛苦一點。初夜、後夜，你還沒有成功的時候，應當辛苦一點。如果在初夜的時候，以現在十二小時計算，你在中夜的四個小時可以休息一下。初夜跟後夜這八個小時，你都應當精進的修行，不要太貪睡，「當捨睡眠」，四個小時是不夠的。這是指眞發心要了生死的人，我們想斷煩惱，像這類的修行人，眞正的信仰佛所教導的。

我所指的這個信心並不是我們一般的信，而是眞正的深信不移。你相信佛的教誨，佛告訴我們怎麼作，我們就怎麼作，這樣的話，才能夠入道。現在我們自認爲都是很信佛的，我個人感覺到是不夠的。我們並不能一天二十四小時當中，只睡四個小時，其餘的二十個小時，我們都能行道嗎？像我們出家人，比丘比丘尼是專業的，專業都作不到，像大家學佛修行都是副業，並不是專業的。

大家知道，在我們出家之後，有早晚課，我們都是兩點半起來，每間寺廟都是兩點半。這個規定，你到哪個廟掛單都是兩點半起床，這裡含著很多的意思。以前大陸上，寺廟裡沒有晚飯，他叫藥石，也就是吃藥。現在，末世的身體，不像過去古人那樣的健康，就得吃藥，拿這個晚飯當藥。但是寺廟裡正常規矩，這個藥是稀飯、臭鹹菜，你願意吃就吃，不願意吃就算了。

現在當然不是這樣子，大家如果到寺廟去吃晚飯，還是吃得很好的。有的小師父還到外面去下小館，像我們下邊那個門口，儘是小館，這樣還能修道嗎？種個善根而已！眞正要修行的，你應當不要太貪睡，睡眠是一蓋。我們算一算，我們這一生當中，睡眠的時間佔去多少？佔去很多時間！但是有些人爲了經營事業，或者作工人的，還得加班加點，有時候爲了賺錢，他睡的也很少，那跟這個沒有關係，這裡是專指修行者說的。你要想修定的時候，應當要精進，不要懈怠。睡眠，這是懈怠！你把好時間都耽誤了。

有的道友們發了心，想住山裡，或者我們有好多的道友居士想學古德，不睡眠的，這也很多。甚至也有不吃飯的，打一個七兩個七，把時間集中起來，要修道，目的是想得定。得定有什麼好處呢？大家是知道的，一有定，就能開智慧。在定中的時候，你什麼都明瞭。就像那些阿羅漢，你要是請他給你迴向，他在未入定的時候，跟我們差不多。他一入定，觀照起來，智慧現前，他才能知道。他捨了報，就入了三摩地，證了空理。

所以，在修定還沒有成功之前，要捨掉睡眠，要精進修學。學什麼呢？學禪定，要習定。但是你待在市中心可不成！汽車的干擾，讓你不易入定。人聲嘈雜，也不能入定。憒鬧的地方是不成的。

少欲知足，知足者常樂，不要貪求太多。我們因為貪心太大，沒有覺悟到我們的肉體是幻化的，沒有把肉體認定是無常的，就給他找舒服，怎麼調和，怎麼舒適。多欲而不知足，好多人都不會滿足的。有時窮人看到富人，他很奇怪，他有那麼多錢，這輩子吃得了嗎？富人看窮人，說你不修福，該受罪，你窮是應該受的。

這是教我們少欲知足，像我們有些大德住在山裡，他的福報很大，但是他都捨棄了，這樣才能得到快樂。知足者常樂，少欲者自安。少欲，你才會平平安安的。無求，你也不傷害誰，因此，必須少欲知足，無所顧戀。顧戀就是貪戀的意思，對世間的一切事物，就我們來說，衣食住行，吃的、穿的、住的，還有一個代步的，對這個不貪戀。對於貪瞋、忿覆、惱害、憍慢、貢高、慳吝、嫉妒、離間、麤惡、虛誑、雜穢，你要具足慈悲喜捨，對治貪瞋癡愛。顧戀就是貪的意思，瞋就是不如意的時候，會生起煩惱，瞋就是瞋恨心。

這是罪業的三根本，貪、瞋、癡。癡就是沒有智慧。憍慢，每個人都這樣想，我是普普通通的一個人，我有什麼憍慢？但是，事實上不然，每個人，你回想在同輩、同事當中，總覺得我比別人強。憍，簡單說就是驕氣，廣泛的說，就是矯揉造作。矯揉造作的事太多了，不懂裝懂，不會裝會。明明不成，自己還認爲自己了不得，爲什麼把憍跟慢連在一起，這個慢就是傲慢的意思。

窮人也會傲慢嗎？窮人更傲慢。他感覺到自己很清高，特別是讀過一些書的，古來窮秀才，現在有些是大學畢業的，現在大學畢業就差一點，博士學位的，碩士學位的，我記得二十幾歲在上海的時候，博士是不少，在北京博士也不少。我曾經遇到兩個博士都是在美國學的，一個在康乃爾學農業的，他在大學當教授，驕傲還可以。把他捉起來關到監獄，他總以爲比別人高，「我是博士住監獄！」我說：「我是和尚住監獄！」叫我陪他，他總感覺更驕傲。他這個驕傲、慢，無論到什麼地方，他都表現出來。任何時候，他總比人強。恐怕是下了地獄，他還覺得只有他才夠這個資格下地獄。你沒作這個業，你還來不了這個地方。

像我在監獄裡，住的時間太久了，跟犯人打堆的多。到了那個地方，犯人跟犯人，他也認爲我比你們這些犯人都強。每個人都有這個表現。這就是俱生我執。這個很厲害！因爲我比人家強，女道友無論多醜，她認爲自己是很美的，一天總是照鏡，都在擦洗。爲什麼？憍慢、貢高。

慳，就是貪的意思，很吝惜。捨心不重！我們講的捨是什麼？是布施，慈悲喜捨的捨，捨要從你自己心裡捨，不只是物質。除了物質以外，先捨心。如果你心裡頭捨得清淨了，那就成功了。慳貪沒有了，反過來就是布施，就是慈悲，就是捨。嫉妒呢？那涵義就更多了，嫉妒人家的好事，要是有利害關係，你嫉妒還可以理解。跟他毫無相關，只要是幾個人，一說別人的好事，別人讚歎別人，他就說破壞的話。「他算老幾，他有什麼了不得！」這就是嫉妒。這類的事情很多很多，你隨時隨地都可以碰到。

在〈普賢行願品〉十大願王，第五大願隨喜功德，看見人家好事，你要讚歎，讚歎隨喜，他的好事就分給你一半。我們要經常隨喜諸佛菩薩的功德。地藏菩薩，大家都知道，願力大，下地獄度衆生。觀世音菩薩願力也很大，有十二大願。普賢菩薩十大願、文殊菩薩十大願，我們都隨喜。隨喜，就分一份，看見別人作好事，我們沒有那個力量，作不到，我們就隨喜。隨喜他，見面分一半，我們中國是見面分我一半，但是我們佛教不講要物質，我就隨喜，也不傷害他原來的，就是隨喜功德，這樣就可以消除嫉妒了。

「離間麤惡」，離間就是挑撥離間。看別人要是成功了，他就要破壞。還有兩舌，搬弄是非。

像上面所說的貪瞋忿覆、惱害憍慢貢高種種的麤惡都是虛誑，髒的、穢的，也就是垢穢的。不只是放棄這些，人間的嬉戲放逸，皆悉遠離。像在家裡看電視，這算不算嬉戲呢？看你怎麼看。如果發心的人，修道的人，你在那個情境的時候，看你怎麼用心？你定不定得住？如果定得住，你那個嬉戲，就變成精進，嬉戲放逸皆變成精進。「那伽常在定」，佛大菩薩作一切隨順眾生的事情，他常在定中。這些事情翻過來，就是精進。如果我們作不到，我沒有這個定力，頂好遠離一點，自己檢點一些。有些人經常拿這個當藉口，「哪有放逸！我在修道呢！」

那是自己騙自己。如果是我們二十四小時，雖然不能夠作二十個小時，十個小時可以不？作不到！五個小時可以不可以？作不到！兩個小時可以不可以？還是作不到，一個小時可以不可以？也作不到！那你早晚的時候，臨睡覺，臨起床，念上十聲歸依佛、歸依法、歸依僧，這恐怕還是作得到吧！或者你再多一點，念上一者禮敬諸佛，二者稱讚如來，乃至到十者普皆迴向，背背普賢大願王的十大願王。這個可以吧！如果這個也記不得，念念觀世音菩薩聖號，念念普賢菩薩，念念地藏菩薩。但是，我們習慣上還是念觀世音菩薩跟地藏菩薩的時候多。這個念上個十幾聲，恐怕作得到吧！作什麼事，你念上十幾聲，都可以吧！

這樣可以對治很多的煩惱，就是這麼一點點，時間雖然很少，可是利益非常之大。普通的、善根淺薄的，像諸位道友經常來聽經，一聽一兩個鐘頭，你聽進去的是文字，或者聽到哪位法師所說的語言，能不能入你的心？用耳根聞了，聞了反聞聞自性，跟你的心性結合起來。佛所說的這些事情，好像我都有犯，所以我沒有定。怎麼辦？我知道了之後，就應該漸漸的遠離。

另一方面，要是貪瞋忿覆，乃至於虛誑雜穢的一切嬉戲放逸，這是不好的。不好的，要離開；好的，要精進，要作到。「如是行者」，也就是這個行道的人，這樣修定的人，當然不一定是出家人，我們諸位道友，優婆塞、優婆夷、一切居士，凡是修定的，你要這樣作，在寂靜處去修道，精進減少睡眠，你不貪、不瞋、不癡、不慳貪、不嫉妒、不放逸，你應得到什麼呢？得到大梵天王來護持你。還有四天王，或者人間的轉輪王，也就是國王，他們都讚歎恭敬禮拜來承事你。乃至於對這個修定者，行道的人，布施百千那庾多供那麼多，也就是供養很多的意思。

一個剎帝利種、婆羅門種，乃至筏舍、戍達羅，這四種種姓的人，他們在那兒習定的時候，雖然還未得定，他也是修行者，他都能夠受著這些梵釋四王的讚歎、禮拜、恭敬、承事、供養。如果已經得了三摩地，修定成就了，得了定，得了三摩地，那麼所受的供養就更不可思議。這必須從兩方面說，跟他過去多生累劫的善根有關係。

像在印度，有些羅漢證了四果阿羅漢，不但修定，而且他是得到三摩地的，得到空定的，得到自在的。爲什麼他去托鉢去乞食，還是得不到呢？當時有人這樣問世尊，佛就給他答覆說，他過去多生累劫很少布施。慧的方面，雖然是成就了，但是福的方面很少。印度有句話：「修慧不修福，羅漢托空鉢。」乞食乞不到。「修福不修慧，香象掛纓絡。」國王騎的那些大象，掛些珠寶纓絡莊嚴，它就是修福不修慧，墮到畜生道。羅漢，修慧不修福托空鉢，也不是永遠托空鉢，偶而有托空鉢的時候。因此知道一切事物當中，不論在內教，在外邊的境界相上，不要鑽牛角尖。有些人愛問這些，愛鑽空子。我不修定，我也得到供養。或者這樣說，得到供養，是因爲你的福報，不是從慧所生長出來的。這是佛鼓勵修定的人。

佛說法，都是給衆生一點甜頭，所以說地藏菩薩加持我們，能得到許多好處，他才肯念。〈普門品〉說，念念觀世音菩薩聖號，你可以得到很多的加持，免除了很多的災難。那等於是加持。現在你要是跟衆生講空，「空，那我信什麼？」他不信，這是他理解錯了。你必須到什麼程度才說什麼話，就是這個涵義。所以，世尊就把上面這段話的意思用偈頌表達一下。爲什麼這樣說？因為修定的人，他能斷惑。惑者就是迷惑的意思，就是不明白，沒有正知正見。起貪瞋癡，起忿覆惱害，他沒有定力，他見到貪欲就定不住，隨著境轉了，心被境轉，所以就墮落了。要是有定力，心能轉境，心能轉境即同如來。

他說，雖然說了三個方法，修定、讀誦大乘、乃至營福，這三個方法當中只有修定是最好的，「修定能斷惑，餘業所不能」。你作別種修行，不是修定的話，你想斷惑是很難的。因此，「故修定為尊」，最尊重的、最尊敬的，是以修定為最好。「智者應供養」，有智慧的人應這樣作，供養承事。

「爾時天藏大梵天言：大德世尊，於佛法中而出家者，若剎帝利大臣宰相，以鞭杖等捶拷其身，或閉牢獄，或復呵罵，或解肢節，或斷其命，為當合爾？為不合耶？」

這是專指出家人說的。大梵天王稱讚佛為「大德世尊」，在這個佛法中出家的，出家全是指比丘、比丘尼說的。出家的，離開世俗家，入了佛家。

對於出家的比丘，要是剎帝利國王，或者是國王的大臣，或者是宰相，他們有勢力，有權勢，以那個鞭子或者棍子，打比丘的身，刑罰出家人。或者把他關到牢獄，或者呵罵他，斥責他。或者斷他的四肢、肢節就是斷他的四肢，斷手斷腳，斷臂斷腿，或斷其命，乃至把他殺了。現在的說法，就是把他槍斃了。

這是對的嗎？合適嗎？或是不對呢？有這麼一個問題。這個問題具有很多的涵義。在末法的比丘，出家非常難，修道更難。在末法的時候，信佛的人很難，而且信心生不起來。不信者多，或者信了之後，進進退退。我有一次回南普陀寺，大家都知道台灣有位比丘尼，先是掛著比丘尼的名義，後來還俗了。她到大陸去，到處招搖，我們廟裡的出家人居然跟她學，還認為她了不起。後來宗教局把她驅逐，這一攆，這些跟她學的出家人嚇跑了，跑到老家躲起來了，現在就沒事了。已經在佛學院畢了業，還讀了幾年佛學，怎麼會還有這種迷惑呢？如果佛法聽的少的人，遇著那種外道，遇著所謂的神通，所謂的開天眼，開三眼，看見這個，看見那個，就認為這是可信的，現在這種情形在台灣很多。

對於三寶，佛、法、僧三寶，你必須有寧捨身命不毀謗三寶，有這種信仰力，才能堅住你的信根。你的信必須生根，必須有力量。信的時候，信到念不退，乃至要修定，定不退，要修慧，慧不退。這是就初步說的，那個信心不是你修的，就能達到那個目的。就是那個信心，有這麼信心。有慧，能辨別是非。有定力，不被境轉。他說什麼，你就從教義上看。他的定跟佛所說的定，四禪八定，乃至於這部經上講的，持念來去，有沒有這種功力？至於見鬼神，《地藏經》說的很清楚。

如果你想問一問，你拿地藏占察輪相問一問我們自己的業報，占察自己的業報。他或者是靈狐轉世的，或者黃鼠狼那種鼬成仙的轉世的，或他是報德通的。在各個國家，都會把這種人控制起來。他的眼睛能看地下好幾千尺，能夠看到未來的吉凶，能夠說出種種的預言。

這是屬於生死分的，沒有什麼了不得的，你不要信他，要具足正知正見。所謂正知正見者，你可以考驗一下。他談不談一切的法都是無我，能不能觀一切法無常，觀一切法都是苦的，觀一切法都是空的。能不能這樣？能不能觀身不淨，觀受是苦，觀心無常，觀法無我？你用法印，用佛所教的法去印證一下，你一辨別就清楚了。你了解他到底對不對，必須得具足這種智慧。不然在末世修道難，出家更難。

在末法五欲熾盛的時候，人慾橫流。大家看一看我們這個世界，現在當前的社會是什麼形態？如果在這個時候，你能修這麼一年，我看比在極樂世界修一劫都強的多。極樂世界沒人惹你，你犯不到錯誤，布施，你布施給誰？黃金，到處到都是奇珍、瑪瑙珠寶滿地，樹也是寶，什麼都是寶，沒有一個人起貪心，太多就不貪了。

我跟人抬槓的時候，他說：「這個世上黃金最貴。」我說：「不見得。」他說：「你說什麼最貴？」我說：「還是大米飯、饅頭最貴。」他笑起來，他說：「大米飯壹兩塊錢買好多大米？」我說：「在一般的時候，要是有大米飯，大米飯不值錢。如果發水災的時候，一個饅頭，你給他十兩黃金，他都不賣給你。」國家動亂的時候，沒吃的才亂，沒穿的才亂，金子有沒有，都沒有關係。

有這麼一個故事。黃河發大水，兩個人逃離，一個人逃難帶了一口袋金子。有一個人他就背了一些饅頭。這個背饅頭的人，他背的輕，他就爬到樹上去了。那個背著黃金者，爬也爬不上去，他在那樹的中間。後來兩人都餓了。那背黃金的說：「我給你一塊金子，換你一個饅頭，可以不可以？」背饅頭這個人一想：「這實在太划算了，好，賣你一個。」給他一個饅頭，他就遞一塊金子。這個水簡直不退，他隨時拿黃金買饅頭，水還是不退。那個背饅頭的人把饅頭都賣給那背黃金的人了。他以爲很快會退，可是水還是不退。那個背饅頭的人心裡想：「水一退了，我就發財了。」那個背饅頭的人就對那個背著黃金的人說：「這個黃金，你買回去！換饅頭回來！」那個背著黃金說：「饅頭，我都吃了，沒有了！」其實他還有幾個饅頭，自己留著。上頭那個背饅頭的人餓死了，這個背著黃金的人因爲有饅頭，就活出來了。那個背饅頭的人餓死了，背著黃金的人照樣把換出去的黃金拿回來了。

這個故事，我們聽起好像很好笑。你說，哪一種東西最貴重？我說，最貴重的是智慧。本來他逃脫的時候，他背饅頭是對的，因為他家裡沒別的東西，也沒有黃金。他那時沒想到，這個時候要錢作什麼呢？錢有什麼用處？貪心就不生了。

那個時候，國王大臣對待三寶，沒有信心的。你們或者是想，國王刹帝利大臣宰相，他們都是有福報的，怎麼會對三寶不恭敬？沒有信心呢？怎麼會還這樣對待比丘？呵罵打解肢節呢？不相信，大家睜開眼睛看一看，不論是台灣，不論是大陸，還是美國，人家根本不懂得你是出家人，根本不管你這些。他懂得這些嗎？到了印度，印度現在已經沒有佛教的出家人。雖說印度還是有出家人，要到大菩提寺，這些出家人或者是從斯里藍卡去的，至於印度人本身就沒有了。

還有，有些寺廟，那是現代的西藏喇嘛到那兒修的，他本身的廟都被破壞了。這種情況在末法是普遍的。所以我經常說，《大集十輪經》是對我們末法的照相，是給我們攝影的。大家可以看一看，現在的情況是不是這樣子？還有宗教信徒，雖然不是比丘，但是他信教義的，總是作善事的、作好事的人。這樣子，可以不可以，是不是對的？

「佛告天藏大梵天言：善男子！若諸有情於我法中出家，乃至剃除鬚髮，被片袈裟，若持戒，若破戒，下至無戒，一切天人阿素洛等，依俗正法，猶尚不合以鞭杖等捶拷其身，或閉牢獄，或復呵罵，或解肢節，或斷其命，況依非法。何以故？除其一切持戒多聞，於我法中而出家者，若有破戒，行諸惡法，內懷腐敗，如穢蝸螺，實非沙門，自稱沙門，實非梵行，自稱梵行，恆為種種煩惱所勝，敗壞傾覆。如是破戒諸惡苾芻，猶能示導一切天、龍、藥叉、健達縛、阿素洛、揭路荼、緊捺洛、莫呼洛伽、人、非人等，無量功德珍寶伏藏。」

這位天藏大梵天是有智慧的，他這樣問是有道理的。所以佛就告訴天藏大梵天言：「善男子！若諸有情於我法中出家，乃至剃除鬚髮，被片袈裟。」很少，一點點一片兒，也就是這個衣披上一片兒，「若持戒，若破戒」，出家以後，對於戒律很精嚴的，持戒，也就是不犯，持清淨戒的。若是出家之後，犯戒，「下至無戒」，把戒全毀了。

「一切天人阿素洛等，依俗正法，猶尚不合以鞭杖等捶拷其身，或閉牢獄，或復呵罵，或解肢節，或斷其命。況依非法？」這是依俗正法。而殺人者償命，欠債者還錢，偷人者就受牢獄之災，也要關起來，也要判刑。也是依照世間的法律，一定要受到責罰的。法律之前，人人平等，出家人也不例外。

從唐宋到現在以來，每個朝代都有。甚至於像紫柏老人這樣的大德是死在監獄裡的，憨山大師則是充軍，也是住過監牢的。在明朝，皇太后是很信佛的，這種現象是常有的。唐太宗是盛世的皇帝，他也殺了很多和尚。因此，帝王都不免要造這個業的，他若依俗的正法，他是犯了錯誤，都不應該用那鞭杖，捶拷其身，或者閉牢獄，或者呵罵他，或者肢解他，或斷其命。

像這種法，和尚有沒有學過呢？喇嘛有沒有學過呢？都學過。西藏的政府、官吏很多都是喇嘛。除了解肢，他另外有刑罰，挖眼睛，丟蝎子洞。那洞裡全是蝎子，犯了罪就把罪犯丟到蝎子洞。要是偷人東西的，喇嘛要把你的手剁掉，或者剁你的腳，斷其命。這個是錯的。若他沒有錯，非法，那麼，他出家沒有犯罪，管理寺廟，他沒犯罪，也要受捶打。正法都不可以，非法更不可以。

「何以故？」爲什麼我這樣說呢？「除其一切持戒多聞，於我法中而出家者」。那麼持戒多聞有道德的，那就不用說。若有破戒的、行惡法的，內懷腐敗，外在雖然出了家，他並沒有眞正的修行，沒有去作，沒有去行。

破戒就是行惡法，上面講的貪瞋癡都具足了，「內懷腐敗」，那髒的，似那蝸螺，也就是蝸牛。這個字有時候我唸蝸牛，蝸牛縮到殼裡頭去。「螺絲」，螺絲在那螺殼裡頭保護它，但是那裡頭很髒，它在那裡頭吃屙，那是很雜穢的。那麼，它是作了業，墮入那種道。

所以破戒的、行惡法的人，就像螺絲，像蝸牛似的。他雖然披著袈裟，出了家，但不是沙門。他自己說是沙門，自稱沙門，自稱是出家人，「實非梵行」，他所作的都不是清淨行。他自己說是清淨行，恆爲種種煩惱所勝。煩惱勝過他的善業，惡業勝過他的善業，「敗壞傾覆」，把他的梵行、清淨行都敗壞了。佛門都被他敗壞了。像這樣破戒的惡比丘，他也能夠給人天作福德。

「猶能示導一切天、龍、藥叉、健達縛、阿素洛、揭路荼、緊捺洛、莫呼洛伽、人、非人等，無量功德珍寶伏藏。」只要他是佛弟子，只要還他披一片袈裟，就能示導八部鬼神。

在印度有一個住墳地的人，他看那個惡龍，沿路上吃人，那個墳地裡頭有位比丘圓寂了，之後那個袈裟破了，掉了一片，他趕快把那袈裟頂到腦殼，那惡龍就不吃他，惡龍就過去了。這個故事是說，雖然他是惡比丘，但是他披著袈裟，也能夠示導給八部鬼神，因爲那片袈裟就含藏著無量的功德珍寶伏藏。並不是因爲他這個人，而是他那片衣，那叫三寶種性。

「又善男子！於我法中而出家者，雖破戒行，而諸有情覩其形相，應生十種殊勝思惟，當獲無量功德寶聚。何等爲十？謂我法中而出家者，雖破戒行，而諸有情，或有見已，生於念佛慇重信敬殊勝思惟。由是因緣，終不歸信諸外道師書論徒眾，乃至能入離諸怖畏大涅槃城。」

見了這件袈裟，生起殊勝想，雖然他破戒，但是他是佛子，他表現的還是佛子。哪十種功德呢？「謂我法中而出家者，雖破戒行，而諸有情，或有見已，生於念佛慇重信敬殊勝思惟」。他破戒了，見了他的衆生並不以爲他破戒，有情只看著他身上是比丘，只見著你一個相，因爲見著你是一位比丘，他心裡頭就生起殊勝想。因這個比丘而念佛、念法、念僧，念佛的生起了信敬的殊勝思想。他就這樣想，他這個比丘是佛弟子，因此就想到佛的功德。

「由是因緣，終不歸信諸外道師書論徒衆。」這個人見到破戒的和尚，他想到佛，想到法，由於這個因緣，他就歸依佛法僧。他不歸信外道師，外道的論就是外道的那個書，也就是外道的法。徒衆，就是外道的僧衆，也就是外道的三寶，「不歸依外道師書論徒衆，乃至於能入離諸怖畏大涅槃城。」

見了這個破戒的比丘，他生起殊勝的因緣，思念佛、思念法，乃至於恭敬這個僧。由於這個因緣，他就能夠離了一切恐怖，證得涅槃，能夠入定，能夠證得不生滅。

「或有見已，生念聖戒殊勝思惟。由是因緣，能離殺生，離不與取，離欲邪行，離虛誑語，離飲諸酒生放逸處，乃至能入離諸怖畏大涅槃城。或有見已，生念布施殊勝思惟。由是因緣，得大財位，親近供養正至正行，乃至能入離諸怖畏大涅槃城。」

有的人見了這位比丘，看見他的威儀，看到他是持戒的，他是出家人，就以能出家這一念，很不容易了。由是因緣，因爲看見這個比丘是斷貪瞋癡，不殺、不盜、不邪淫，離虛妄語，不打妄語，不說假話，離飲酒，離諸酒生放逸處，不喝酒。也就是因爲見著一位破戒的比丘，生起這麼多的殊勝感。

他因爲能夠看見這個破戒的比丘，給他種善根，最後成道了，證入涅槃城。他看著一位比丘，他生起殊勝感。對他供養，生布施想，由是因緣得大財位。見著一位比丘，把他當成聖僧看待，他要生起殊勝想。因爲他的形相，「親近供養，正至正行，乃至能入離諸怖畏大涅槃城。」

「或有見已，生念忍辱柔和質直殊勝思惟。由是因緣，便能遠離離間麤惡雜穢瞋忿，乃至能入離諸怖畏大涅槃城。或有見已，生念出家精勤修行殊勝思惟。由是因緣，能捨家法，趣於非家，勇猛精進，修諸勝行，乃至能入離諸怖畏大涅槃城。或有見已，生念遠離諸散亂心，靜慮等至殊勝思惟。由是因緣，心樂山林阿練若處，晝夜精勤，修諸定行，乃至能入離諸怖畏大涅槃城。或有見已，生念智慧殊勝思惟。由是因緣，欣樂聽聞讀誦正法，乃至能入離諸怖畏大涅槃城。或有見已，生念宿植出離善根殊勝思惟，軟語慰問，乃至禮足。由是因緣，當生尊貴大勢力家，無量有情咸共瞻仰，乃至能入離諸怖畏大涅槃城。善男子，於我法中而出家者，雖破戒行，而諸有情覩其形相，生此十種殊勝思惟，當獲無量功德寶聚。是故一切剎帝利王大臣宰相，決定不合以鞭杖等捶拷其身，或閉牢獄，或復呵罵，或解肢節，或斷其命。」

「或有見已，生念忍辱柔和質直殊勝思惟。」這是忍辱波羅蜜。「由是因緣，便能遠離離間、麤惡、雜穢、瞋忿。」離了瞋恨心，離了雜穢。雜穢就是麤惡語，不惡口。就是因爲見了這個破戒比丘的形相，使他能這樣的思惟，乃至於能入離諸怖畏大涅槃城。「或有見已，生念出家精勤修行殊勝思惟。」他出家就是無欲無著，清淨瀟洒，破戒的比丘也很瀟洒。

大家看到道濟禪師，他示現的是逆行，雖然是逆行，其實是行菩薩道。哪知道他是聖僧？不知道的。看他喝酒，下館子，甚至上妓女院去度人。聽我這麼一說說，他上妓女院，大家或者會懷疑他，不是的。我記得看《濟公傳》的時候，我那時候也是生起殊勝想，他是怎麼度人呢？

有一天他到他弟子那裡，在蘇州的西門住的一個員外，叫蘇北山，他到那兒去看蘇北山。他問：「你今天有事沒事？」弟子：「沒事。」道濟禪師說：「沒事，你跟我去個地方。」弟子問：「師父到什麼地方去？我跟你去。」道濟禪師說：「你多帶點錢。」「師父你喝酒，我供養得起你，沒有關係。」道濟禪師說：「我今天不喝酒，我要去個地方。」他問：「到什麼地方去？」道濟禪師說：「我到花街去。」「師父，你到那個地方幹什麼？」「你不要管，你跟著我去。」那徒弟搖搖頭，好吧，就去妓女院。去了，那裡有一個新來的妓女，是名妓。道濟禪師說：「要就要這個妓女，董春香。」董春香一看這位和尚又髒又邋遢，那個樣子很難看的。但這個員外看起來不同，有官位又有大財富。她對那員外很獻殷勤。道濟禪師就說：「你過來。他不能救你，救你還得我。」她問：「大師你要作什麼？」道濟禪師說：「你過來我跟你說！閒來無事且開懷，和尚也要樂一樂。叫聲春香你過來，你到我這兒來，不要到他那兒去。」董春香就問：「師父，你要作什麼？」道濟禪師說：「快快解開香羅帶」，那董春香就訖了。道濟禪師又說了：「贈與貧僧綑破鞋。我這個草鞋都掉了，你把那個帶子給我綑鞋，沒有別的意思。」

道濟禪師是去幹什麼？那個董春香是被人害了，賣到妓院去。道濟禪師是爲度她才到那兒去，讓蘇北山拿錢把她買出來，送她回家的。這個女孩子不知道，她媽媽跟她已經脫離關係了。道濟禪師是有神通的，就讓她找蘇北山的管家，送給她媽媽一些錢，道濟禪師是去救人的。

還有，有一個老和尚也是如此。他收四五歲的小孩，帶他回到山裡頭去了。住在山裡，這個小孩，除了看著這個木頭，山流水，再就是看見野獸、老虎，其他的什麼也沒有看見。等這孩子十八歲長大成人，他師父就帶他到街市上走一走。哇！這小孩一看見玲瑯滿目，應接不暇。最後走到妓女院，那些姑娘擦胭脂抹粉的，那些妓女，他師父領他看一下子。他徒弟問他說：「師父，那是什麼？」師父答說：「老虎。」山裡的老虎都是吃人的。回到山裡後，他師父問他：「今天你看什麼東西最好呢？」他說：「什麼都不好，就是老虎最好。」

這叫惑。惑，就是迷惑，也就是俱生帶來的業。貪欲是難斷的，我們每個人就驗證驗證自己。破戒的比丘，他也能給你斷貪欲，因爲你只是從現象上看。那些聖人，那些阿羅漢，他示現逆行，像道濟禪師，他就到酒館去，從茶館出來。他一天就這麼樣子，你看他也不修行，也不幹什麼的，拿著瓶子酒，懷裡揣著狗肉。道濟禪師能在淨慈寺的井裡頭撈木頭，你能不能撈？那是修淨慈寺的。現在你要是到大陸杭州，你到淨慈寺去看一看，那個井裡頭還有一個木頭擱在那裡。最後說，夠了，就不撈了。那個木頭就一直在那兒。

你信不信？有些是事實。道濟禪師確實是事實。但是，也有些不是事實，是小說編的。他的出家，瘋瘋顛顛的，你以爲他是破戒和尙，其實是內密菩薩行，你並不知道！所以你只能恭敬三寶，你不計較他犯什麼戒，跟你沒有關係，他受報是他的，你把他當成聖僧看，你把一切衆生都是當成佛看，當成菩薩看。蘇東坡跟佛印禪師的故事，也是這樣。你用佛性看一切衆生都是佛，但是，這樣看的很少，觀想的時候，還不見得是這樣。

「復次大梵！若有依我而出家者，犯戒惡行，內懷腐敗，如穢蝸螺，實非沙門，自稱沙門，實非梵行，自稱梵行，恆爲種種煩惱所勝，敗壞傾覆。如是苾芻，雖破禁戒，行諸惡行，而爲一切天、龍、藥叉、健達縛、阿素洛、揭路茶、緊捺洛、莫呼洛伽、人、非人等作善知識，示導無量功德伏藏。如是苾芻，雖非法器，而剃鬚髮，被服袈裟，進止威儀，同諸賢聖。因見彼故，無量有情種種善根皆得生長，又能開示無量有情善趣生天涅槃正路。」

若有依我出家的，犯戒惡行，犯什麼？就像蝸牛，雖然他作這樣的業，你也不能輕視他，他能夠示導無量的功德伏藏。這個比丘，雖然不是法器，不是一個盛法的好器皿。一個好的器皿，是盛載飲食，盛上好的飲食。一切的出家人，或者四衆弟子，都是盛法器的。佛所說的一切法都盛入，他雖然不是很好的法器，但他剃除鬚髮，披了袈裟，他的舉止威儀還是一樣的，跟賢聖一樣。「同諸賢聖」，因爲一切的無量有情見到他，就能生長善業，況且，凡是出過幾天家的，他再少再少都會說幾句佛法，又能夠開示無量有情，「善趣生天涅槃正路」。

雖然他自己不修行，但他告訴你，怎麼信仰三寶，怎麼修行，如何恭敬，如何布施。因此，大家對外道，對邪師，不要產生恐怖感。如果你有恐怖，對著佛菩薩、對著經書拜就好了，那是可以避邪的。只要你心正，有正知正見，邪見不會侵入的。

「是故依我而出家者，若持戒，若破戒，下至無戒，我尚不許轉輪聖王，及餘國王諸大臣等，依俗正法以鞭杖等捶拷其身，或閉牢獄，或復呵罵，或解肢節，或斷其命，況依非法。大梵！如是破戒惡行苾芻，雖於我法毘奈耶中名爲死尸，而有出家戒德餘勢，譬如牛、麝，身命終後，雖是無識傍生死尸，而牛有黃，而麝有香，能爲無量無邊有情作大饒益。破戒苾芻亦復如是，雖於我法毘奈耶中名爲死尸，而有出家戒德餘勢，能爲無量無邊有情作大饒益。」

因爲這個緣故，凡是依我出家的，不管他是持戒的，還是破戒的，下至連戒都沒有的，我不許可轉輪聖王及餘國王諸大臣等，「依俗正法」，以世間法來捶拷他，乃至於鞭杖打他。「或閉牢獄，或復呵罵，或解肢節，或斷他命，況於非法。」非法更不成，更犯罪。「大梵！如是破戒惡行苾芻，雖於我法毘奈耶名爲死尸」，在我們佛教內部，如果破了四根本戒，殺、盜、淫、妄，四根本戒，破了四根本戒名爲死尸。比丘戒有七聚法，七聚法在辯典上是不翻的，但是總的內容可以知道一些。七聚法說的四根本就是四波羅夷法，就是棄罪，驅逐佛大海之外，把他擯出佛教之外，叫波羅夷法。在比丘戒裡，這是不通懺悔的。

依照大乘法，像我們拜〈地藏懺〉，或者拜〈大悲懺〉、〈占察善惡業報懺〉，還是可以懺悔的，但是必須懺了之後，見了好相。你拜懺見了地藏菩薩，拜〈觀音懺〉、拜〈大悲懺〉見到觀世音菩薩，你的罪就清淨了。但是在戒律裡面，比丘戒裡是不通懺悔的。要懺悔的時候，也是大眾僧經過二十個清淨僧，給你說，你懺悔完了，自己單住，單叩頭禮拜，依佛的教導。這個也是拿戒法講的，這是專對比丘比丘尼講的。第二種是僧殘法。僧殘者就是還有一口氣在，還未死。在處理的問題上，我只說個名詞而已，大家知道就是了。

七聚淨戒，是專指比丘說的，這些戒他不是全部都犯了，只要犯了四根本，在律宗說名爲死尸。死等於尸體一樣，也就是犯了棄罪。「有出家戒德餘勢」，雖然是破戒了，但是他最初出家的時候，還是持清淨戒。持清淨戒的那個勢力，還沒有完全盡。那種勢力，就像牛是有牛黃，牛要是吃了靈芝草，牠的胃就消化不了。有如癌症，長一個瘤子，這瘤子裡頭含著什麼呢？這叫牛黃。馬要是吃了靈芝草，就叫馬寶，狗要是吃了靈芝草，那就叫狗寶，這都叫寶。

所謂寶者，有什麼功能呢？解除病苦。牛黃奪不治之症，牛黃割一點點入藥，就給你除病了。麝是麝香，獐子牠命終之後，雖然是捨了，死了，麝香還是値錢的，還是寶。牛雖然死了，牛黃還是寶，並不是每頭牛都有。但是這種麝香獐子，它一死的時候，就把肚子鼓起來，往地上把它蹭破了，讓它流失，讓打獵的人想得也得不到。

鹿子有鹿茸，你要是打那個鹿子，把它打傷了，或者打死，獵人先抱住腦殼，不然牠就會往那樹上撞。鹿茸就是血，那血一出去，就沒有用處了。有人打鹿子，就是爲了它的茸，人射獐子就爲了它有麝香。牛黃就不一定，有時候，那頭牛病死了，醫生判斷說這頭牛死了，它雖然是有牛黃，那主人並不知道，把它埋了，或者是把肉割著吃了，那就錯誤了。這個要獸醫斷定的。

身命終後，雖是無識的傍生死尸，雖然是畜生，沒有識，沒有知識，是個死尸傍生的，而牛有黃，麝有香，能爲無量無邊有情作大饒益，給它作藥，能夠醫好多人的病。破戒的苾芻，亦復如是，他雖然於法的毘奈耶中，在律裡頭名爲死尸，而出家的戒德餘勢，能爲無量無邊有情作大饒益。

「大梵！譬如賈客，入於大海，殺彼一類無量眾生，挑取其目，與末達那果和合擣簁，成眼寶藥。若諸有情盲冥無目，乃至胞胎而生盲者持此寶藥塗彼眼中，所患皆除，得明淨目。破戒苾芻亦復如是，雖於我法毘奈耶中名爲死尸，而有出家威儀形相，能令無量無邊有情暫得見者，尚獲清淨智慧法眼，況能爲他宣說正法。」

海裡有一類眾生，魚類，那個賈客，殺了那一類眾生，把它的眼睛都取出來。「末達那果」，也叫醉人果，但是有毒。把它跟魚類的眼目、眼珠子，掏成一起，成了醫眼的藥。有些眾生，盲冥無目，生來就是瞎子，都管用，乃至胞胎而生盲者，也就是從胞胎一生下來，就是個瞎子。把這個寶藥給他一抹，他就看得見了，眼珠就恢復了。

破戒的比丘也是這樣。雖然是在我法的毘奈耶中，叫「死尸」，他有出家的威儀形相，能使無量無邊的有情，即使暫時見他一下子，都可以獲得清淨的智慧法眼，這是你種的善根。如果沒有這個因緣，連破戒比丘的形相都見不到，也見不到這個披袈裟的，乃至於這麼一見的功德，都不可思議，這是眞的。在大陸上，從五零年到八零年之間，你想看見一位穿出家衣服的僧人，全部沒有了。

我記得大光法師，他是寫〈影塵回憶錄〉，他跟我講，他說：「我到上海去，就作怪。」我問：「你作什麼怪？」他說，他穿了黃袍子，披上紅祖衣，手裡拿個錫杖，也就是地藏菩藏拿的錫杖，專到上海外灘，南京路，到那裡去鑽，那裡的人把他圍得人山人海。大家都說這是個怪物，不曉得是什麼東西。完了，警察就來了，把他帶走。一看他是香港來的華僑，立刻驅逐出境。那個時候要是有人穿和尚衣服，就是犯法的。這樣就犯法，何況爲他宣說正法？要是這個破戒比丘還能說法，那更不得了。

「大梵！譬如燒香，其質雖壞，而氣芬馥，熏他令香。破戒苾芻亦復如是，由破戒故，非良福田，雖恆晝夜信施所燒，身壞命終墮三惡趣，而爲無量無邊有情作大饒益，謂皆令得聞於生天涅槃香氣。」

燒香，它的質雖然是壞的，但是氣味還是芬馥的香，人受到它的薰染，也就有香氣。破戒的比丘也是這樣子的。由於他破戒的緣故，不是好福田了，但是他恆晝夜的信施所燒的，身壞命終墮三惡道，他自己受人家信施供養，死了之後，就墮了三惡道，到地獄了，下到三惡道，但是他能夠給無量無邊有情作大饒益。另一方面說，他自己破戒，還是要受報的，但是他能給這個一切有情作好事，一切有情在他的分中，還能夠得聞到生天涅槃的香氣，他身上還有香氣，還有他以前受戒、持清淨戒的香氣。

「是故大梵！如是破戒惡行苾芻，一切白衣皆應守護恭敬供養。我終不許諸在家者，以鞭杖等捶拷其身，或閉牢獄，或復呵罵，或解肢節，或斷其命。我唯許彼清淨僧眾，於布薩時，或自恣時，驅擯令出，一切給施四方僧物飲食資具不聽受用，一切沙門毘奈耶事，皆令驅出，不得在眾，而我不許加其鞭杖繫縛斷命。爾時世尊而說頌曰：

瞻博迦華雖萎悴　而尚勝彼諸餘華
破戒惡行諸苾芻　猶勝一切外道眾」

他這樣子的橫行，那是不可以的，僧眾會舉行布薩制裁他。所謂布薩就是我們出家人，初一，十五，十五半月，半月要說一次戒，布薩就是說戒。你在廟上得掛牌，有的寫布薩，有的就寫誦戒，就把戒拿出來讀一遍。這個時候，就把他叫出來，將他驅逐出僧團之外。凡有供養僧的，和合僧所享受的飲食，資生資具，衣、單，他這一份永遠沒有了。如果大家半月半月誦戒的時候，再不許他來了。凡是作羯磨法的時候，只要作律事，就把他驅出去，不得在大眾中，但是我不許可對他加以鞭杖繫縛斷命。

比丘雖然是破戒了，就像印度的瞻博迦華似的，他的香氣萎悴，都要勝過餘花的，比其他的花還要好。雖然破戒惡性的比丘，他對一切外道衆，一切惡衆，比他們還強！這個意思就是不聽許在家衆謗毀比丘。我以前跟道友說，比丘再壞，你也不要說四衆過。

有些大德們，大和尚們，他個人如何，你不要管。特別是白衣，你不要評論。出家人跟出家人可以說？一個人也不能說，要請大衆把他擯除，乃至於制定他，看他屬於七法之中的哪一法，該什麼罪、該怎麼處罰就怎麼處罰。但是僧衆的事，在家的道友，你把他當成佛弟子，當成僧寶，把一切比丘都當成聖僧，你心裡就是聖僧了，你的功德一點兒也不泯滅的，不因爲他破戒而影響到你，佛教講的很清楚。因此，大家千萬莫說三寶過。如果你輕視僧人，謗毀了、打罵了、斷肢節，你應當受什麼報，後面會說。

這點，請諸位道友注意。這個只能跟佛弟子說，不信佛的，他當然不信。他連好比丘也不信，管你是什麼比丘呢？反正他不信你的。像以前的香港，如果早晨看見一位剃了頭髮的出家人，廣東人就罵說，他要倒楣，今天的生意，可以不用作了。「和尚！您在早晨的時候，不要上街！」現在好了，因爲和尙多了，現在作佛事的也多了，漸漸知道了。要是他不知道，你也沒有辦法。

以下很長的經文，都是講對比丘的尊敬，這並不是佛護短。也不是因爲是佛的弟子，他怎麼壞，你們都要恭敬，怎麼壞都要恭敬，不是這個涵義。因爲佛看的很遠，能看見我們過去的無量劫，也看到未來的無量劫，他看見很多人因爲謗毀三寶而墮落三塗的，有恭敬三寶而得到無邊的幸福。我們認爲好的比丘，我們當然是恭敬的。那些壞的破戒比丘，不可以對他毀謗，不可對他進行處理。

前面講過了，若是看見有些比丘，他心裡頭喜歡脫離塵世，要到山林裡頭修靜。住靜的比丘，修定行的比丘，若是見了他，你能生長智慧。像這些涵義，你怎麼解釋呢？爲什麼見了他就能夠生長智慧？見了他就能夠得到定？大家天天見著我，你有沒有生定呀？有沒有生了智慧？這不是暫時的。你見到他，你若生起了對三寶的恭敬心，你就能把過去世以前所種的善根，漸漸成長了。

因爲我們種在地裡頭的苗稼，經過水土的滋潤，像我們要是見到僧寶，見到法寶，見到佛寶，會滋潤你一次，你又培育了，又粗壯了一下。就這樣子種下了，久了，善根增長，久了，你自然就得成就了。學佛乃至於行道，不是一蹴而成的，因爲無量劫來，作惡造罪，不是一下子造成的，而是多生無量劫的累積。現在你想要消除無量劫的罪，要經過很長時間的磨練。

因此，讀到這一段經文，就要體會到，爲什麼破戒的比丘，乃至於沒有梵行的比丘，我們還要恭敬他？這就是我們經常說的，不看僧面看佛面，就是這樣的意思。我們看到他是佛的弟子，因爲我們尊敬三寶，尊敬佛，是這樣的一個涵義。你要是認爲說，明明知道他很壞，我們見到他披片袈裟還是很恭敬他，這個不合理？不是這個涵義，並不是對著他這個人。他既然是佛弟子，當他沒有這個法服，沒有剃度之前，若他犯戒了，僧團要開除他，他就沒有法服了，那時候他就不是了。只要他還披著袈裟，他還在僧寶之中，就算犯了很多戒，破了戒，那破戒比丘，他也不會跟你說，我是破戒比丘，他會大張旗鼓的宣傳嗎？你根本不知道他破戒不破戒。所以，他只要現著僧相，恭敬他，就對了。

為什麼律藏上講，要發露懺悔。有了罪要懺悔，若是隱瞞，就是欺騙。除了他本身所犯的罪之外，他的隱瞞欺騙又犯了罪。這是罪上加罪，那就很多了，懺悔的時候，總是很不容易懺清淨。過去我們這些錯誤，犯得太多，我們不開悟，乃至於人生當中害病，很多不如意的事，人家是順順當當的，你就是棍棍棒棒的，走不通，這是什麼原因呢？就是無量劫來這事作的太多了。一時懺悔，還是很不容易懺悔清淨的，你必須長時間的懺悔。

「復次大梵！有五無間大罪惡業，何等為五？一者故思殺父，二者故思殺母，三者故思殺阿羅漢，四者倒見破聲聞僧，五者惡心出佛身血。如是五種，名為無間大罪惡業。若人於此五無間中，隨造一種，不合出家，及受具戒，若令出家，或受具戒，師便犯罪，彼應驅擯，令出我法，如是之人，已有出家威儀形相，我亦不許加其鞭杖，或閉牢獄，或復呵罵，或解肢節，或斷其命。」

這叫五無間，如是五種，名爲無間大罪惡業。如果這五種罪，隨造一種，不合出家，不能收他出家，更不能給他受具足戒。當你出家時，你的師父要問你，你在出家之前，都作些什麼事情，有沒有犯過這件事情？如果有犯過這件事情，他不敢收你。還有六根不全的，現在佛門也有，瞎子、瘸子、跛子、神經病患者，這都是不可以的。

還有，五種不男，也就是不男不女，這是不許的，你必得如實說。你不說，那個師父也不會檢查你，你要自己坦白說，如果欺騙不說，就是犯欺騙罪。你混進來了，護法龍天會對你產生種種障礙擾害，這是不能欺騙的。

等你受戒，登戒壇的時候，他要問遮難，像五無間就是難。還有許多遮止的，你不能受戒。像五不男，不男不女，他跟男眾在的時候，他就是女眾，跟女眾在的時候，他就是男眾。或者是半個是男，半個是女。上面是陽，下面又是陰。像這種都是五種不男。像太監是不能出家，不能收的。

所以作比丘是很難的。最初的時候，你若過去有五無間罪的時候，那就注意了，它有個「故」字，「故思殺父」。思就是準備，乃至於這裡頭，殺因、殺法、殺人、殺業，那必斷命根，死了就是算數，就是這個罪成立了。要是不是故意的，無心的，那就不犯根本戒，那是相似罪。

所以弒父、弒母、殺阿羅漢，前面都有「故」字，這三種都有「故」字，也就是故意。有心，乃至策劃籌謀，這三種是這樣。「倒見破聲聞僧」，倒見不是正知正見，邪知邪見顛倒，破和合僧，把僧眾一眾分成兩眾，好比我們這間廟裡有三十位出家人，經過你一挑撥離間，分出去三個以上的僧眾，就是破和合眾。挑撥一個人，不算。如果挑撥了七個八個的，分開了，那就是破和合僧。大家共同在和合修道的時候，你破壞，就叫破和合僧，這只限於聲聞眾。出佛身血得惡心，惡心有謗毀心，甚至有忿，有瞋，這都算是惡心。出佛身血，這只是佛在世的時候。

有道友問我，紙像的佛像，我們沒有注意，或者把它扯毀，或者在那兒掛著，你往下摘的時候，把它扯壞了，這樣算不算出佛身血？這樣是不算的，只能算是輕微的過失。只是你心裡頭不太尊重，只能算這樣，不能算是出佛身血，紙像不會出血。泥像木雕的，會出血嗎？沒有血，這是指現前的境，是眞實的境，這樣才算是五逆罪，這叫五無間大罪。無間就是受苦無間，受苦從來不間斷。你臨命終的時候，入地獄的時候一點也不間斷，快速得很。

於這五種，隨造一種都不聽許出家，連出家都不可以，受戒更不可以。受具足戒，也就是比丘二百五十戒。假使這位師父，令他出家，或者使他受具足戒，這位師父犯罪了。要是收他，這位師父本身就犯罪了。那麼他所收的這些徒衆呢？具足這些遮難的人，要把他驅逐僧團之外，不能留在僧團之內，要把他擯出佛教之外，在佛法之中是不收的。用個比喻，就像淹到海裡頭的死尸，海浪一定要把它翻出來的，海裡是不容死尸的。佛的法海，不容破戒之人。乃至於他破五無間罪，他的師父把他收了，也受了具足戒，還未擯除，還混在出家人之內。

他有了出家的威儀形相，受了具足戒，還披上衣，這個袍子是無所謂的。我們這個袍子就是漢人的服裝，漢唐宋明都是這樣的。不過，口袋沒有這麼大，袖子也沒有這麼大，略微增加一點。那個時候就是指這個衣，現在這個衣也改良了。

有些人說，我們這個社會變化了，應該改良，現在的掛鉤是我們中國出的。你看喇嘛披的那個，就是這樣，印度原來也是那樣子，現在的印度人穿衣服也是這樣子。我們這裡有很多印度人，你看男衆女衆一披往上一搭，就是這樣。

他具足了出家人的威儀，出家的威儀，有好多呢？三千。古來形容出家的威儀，如果你上殿，走路的時候，眼睛視力不能超出面前五呎。如果腦袋東看西看的，像波浪鼓似的，這是不許可的，已經犯了威儀。走路，有一定的限制，這都要學。乃至於吃飯，不是像我們這樣。飯碗怎麼擱，筷子怎麼拿，吃的時候怎麼吃，特別是吃麵的時候，如果發出聲音，那還得了。

在鼓山的時候，過堂的有一千多人，從在齋堂門口過，你是聽不到裡頭有一點兒的聲音，這還沒有說碗筷子，連吃飯的聲音都沒有，哪像千八百人在裡頭吃飯，你還不知道這裡頭有這麼多人呢！那時候，我剛到鼓山，我說這間廟這麼大，怎麼這麼空，一進去，還有點恐怖感。走廊上一個人也看不見，等到一出梆，一到上殿的時候，每個小門，看的很小，都住著出家人。

那個時候，總共住的有八百七十多位出家衆，還有一千多位淨人。淨人就是給廟裡頭服務的、種地的，經管果園。像這個都得具足出家人威儀。

你在廟裡當淨人，得具足威儀，只要進了廟，那就跟世俗的不同。不過現在也進步了，這些都不要了，感覺太囉嗦。三千威儀八萬細行，把一個人束縛起來，成爲一個樣子。在那個時候，在那裡頭生活的僧衆，他也不感覺，已經習慣了。從受戒，一直到住叢林，到大廟。你出家一定得住叢林，才知道威儀的形相。只要他有威儀形相，不管他過去犯五逆罪，乃至他混到僧衆裡頭來，還未把他擯出去的，都不應當對他責罰、鞭打，或者繫閉牢獄，或者呵罵，或者解他的肢體，或者斷命，這都是不可以的。就算過去有五無間罪的衆生混到佛門來的，也都是不可以的。

今天有道友問我：「假使知道他犯過五逆罪的人，我對他的恭敬心就生不起來！」你生不起來，應當懺悔。因爲你的心不是佛心，不是三寶心。你見三寶，你怎麼會生不起信心？你認爲他是破戒的，只要他有僧相，我們看到這個師父很好的，這個師父自己也感覺到很好的。但是他微細行所犯的戒，龍天鬼神是知道的，乃至還不知道自己犯戒了。從來沒有學戒，他怎麼知道犯戒了？雖然這樣，龍天鬼神還是恭敬他。

「復有四種，近五無間大罪惡業根本之罪，何等爲四？一者起不善心，殺害獨覺，是殺生命大罪惡業根本之罪。二者婬阿羅漢苾芻尼僧，是欲邪行大罪惡業根本之罪。三者侵損所施三寶財物，是不與取大罪惡業根本之罪。四者倒見破壞和合僧眾，是虛誑語大罪惡業根本之罪。」

這是說近五無間罪，並沒有犯那麼重。近五無間罪有四種，第一種，起不善心殺害獨覺，不善心起惡心，起惡心殺害獨覺。獨覺是無佛出世，他在寂靜山林之中修行，證到獨覺果，證到二乘的獨覺果位。獨覺就是無佛出世，他開悟證道了，這就叫獨覺。有佛出世，叫緣覺，依照十二因緣法覺悟。殺害了，這是近於五無間，不算五無間罪。

但是，這是殺生罪，是大惡業的根本之罪，但不是無間罪。二者淫阿羅漢苾芻尼僧，不管他知道不知道，這是近無間罪的，也是大罪惡的罪。三者，侵損常住的三寶物，所施的常住三寶物，這是不與取的大罪惡罪。四者，倒見破和合僧。倒見破和合僧，只從他言語上作罪，在兩衆方面撥弄是非，只算惡語裡頭的，虛誑語，把他撥到妄語戒裡，這就是殺盜淫妄四根本戒。

「若人於此四近無間大罪惡業根本罪中，隨犯一種，不合出家，及受具戒。若令出家，或受具戒，師便得罪，彼應驅擯，令出我法。如是之人，已有出家及受具戒威儀形相，我亦不許加其鞭杖，或閉牢獄，或復呵罵，或解肢節，或斷其命。」

破了四種根本戒的人，也是罪大惡極的根本罪人，不過不是五無間，而是近於無間。這四種當中隨犯一種，師父不能收他。如果問遮難的時候，你有沒有殺過聖人？這也包括緣覺聲聞二乘人，他說沒有。他自己也不知道他所殺者是不是聖人，他怎麼知道？羅漢跟獨覺不會說：「我已經證了獨覺。」大家讀過《金剛經》就知道了。須菩提說，證無所證，懂得這個道理就行了。這些雖然是根本罪，但是不能出家，是根本罪，不是無間罪。

犯四大惡罪的人也不能出家，這叫犯四根本。殺盜淫妄，性罪上犯了，他還沒有出家，還未有受戒的，他遮罪不犯。如果已經出家，他又受了比丘戒，兩者都犯了，性罪、遮罪都犯了。明明知道犯罪了，你還要去受戒，罪加一等，自討苦吃。你墮地獄，或者受雙料的處罰，時間更長。假使這個師父把他收了出家，從一開始就欺騙他的師父，他的師父根本不知道，後來查出來了，這位師父就犯突吉羅罪，要向大家懺悔，那位老師就得懺悔，之後就把徒弟驅出去，佛法之內是不容許的。這些具四大惡罪的人，他已經混到出家裡頭來，佛也不聽許鞭打他，乃至於呵罵他、解肢節斷他的命。

「如是或有是根本罪非無間罪，有無間罪非根本罪，有根本罪亦無間罪，有非根本罪亦非無間罪。何等名爲是根本罪亦無間罪？謂我法中先已出家受具戒者，故思殺他已到究竟見諦人等，如是名爲是根本罪亦無間罪，此於我法毘奈耶中應速驅擯。」

用這四種來分別，有的是根本罪，但不是無間罪，就是他殺聲聞、殺阿羅漢，乃至淫羅漢比丘尼，這是根本罪，不過不是無間罪。有的是無間罪，非根本罪，這個罪一定要辨識清楚。它是五無間，不能算是根本罪的範圍。反正，根本罪也好，無間罪也好，這兩種都不能收他出家的。乃至於混進來了，受了戒，我們知道他是這樣子，你也不能輕視他。得依僧法，把他擯除出去。

有的人是根本罪也有，五無間罪也有。殺業瞋恨心，乃至於殺盜淫妄都犯的很重，兩者都具足了，那罪就更重。有的就是不屬於這兩者的，也非根本罪，也非無間罪，兩者都不是，那就是輕罪。輕罪在佛經上講是「七聚法」之中的「僧殘罪」，那也很重的。那得要在二十位清淨比丘面前才能懺悔掉。在小乘教義上，這是不通懺悔的。

「何等名為是根本罪亦無間罪？」下文就一個一個的解釋。「謂我法中先已出家受具戒者，故思殺他已到究竟見諦人等，如是名為是根本罪亦無間罪。」兩者都具足了。如果他是出家之後，受了具足戒，有意的，「故」字就是有意，故意的。「思」就是想方法，是殺緣，就是殺因。有了殺因、殺緣，這樣子去殺究竟見諦人，究竟見諦人是指阿羅漢，或者初果，見道位。見道諦理菩薩是指大菩薩說的，見道諦理，見者是見道位的意思，諦是理，證得了。如果受戒的人，如果把這個人殺害了，這樣子就是根本罪也犯了，無間罪也犯了，兩者都具足。

「何等名爲是根本罪非無間罪？謂我法中先已出家受具戒者，故思殺害他異生人，下至方便與人毒藥墮其胎藏，如是名爲是根本罪非無間罪。此人不應與僧共住，諸有給施四方僧物，亦不應令於中受用。」

在律藏裡頭，犯這種罪，一刻都不能停留，一知道，馬上就驅逐，速度快得很。「何等名爲是根本罪非無間罪？」謂於我法中，先已出家受了具足戒，故思殺害他異生人，這只是殺人罪。「異」是不同，不同的形相，不同的語言，不同的色身，都叫「異生」。種種異相，就叫「異生」。「異生」就是衆生，這種種的衆生。「故思」，有意殺害這些人，乃至於使種種方便法，給人家毒藥，墮胎，大家知道，這就是殺害異生人，殺害他人。這就叫根本罪。

大家知道墮胎是殺人罪，是根本罪，與殺人罪，同一論處。不過在世俗的法律上，並沒有這麼嚴重。犯罪是犯罪，但是在有些國家的法律是不犯罪的，有的國家還提倡墮胎。雖說是根本罪，非無間罪，但是這個人不應跟大衆僧共住，也不應給大衆僧所享受的四方僧物，供養大衆僧的，他於中不能分一份，於中不能受用。

「何等名爲是無間罪非根本罪？謂若有人或受三歸，或受五戒，或受十戒，於五無間隨造一種，如是名爲是無間罪非根本罪。如是之人，不合出家，及受具戒，若令出家，或受具戒，師便得罪，彼應驅擯，令出我法。何等名爲非根本罪亦非無間罪？謂若有人，或受三歸，或受五戒，於佛法僧而生疑心，或歸外道以爲師導，或執種種若少若多吉凶之相祠祭鬼神。若復有人於諸如來所說正法，或聲聞乘相應正法，或獨覺乘相應正法，或是大乘相應正法，誹謗遮止，自不信受，令他厭背，障礙他人讀誦書寫，下至留難一頌正法，如是名爲非根本罪亦非無間，而生極重大罪惡業，近無間罪。如是之人，若未懺悔除滅如是大罪惡業，不合出家及受具戒，若令出家，或受具戒，師便得罪，彼應擯除，令出我法，若已出家，或受具戒。犯如是罪，若不懺悔，此於我法毘奈耶中應速驅擯。所以者何？此二種人習行破毀正法眼行，習行隱滅正法燈行，習行斷絕三寶種行，令諸天人習行無義無利苦行，墮諸惡趣，此二種人，自謗正法，毀呰賢聖，亦令他人誹謗正法毀呰賢聖，命終當墮無間地獄，經劫受苦，不可療治。」

「何等名爲是無間罪非根本罪？」若說要是有人受了三歸，或者受了五戒、受了十戒，於這五無間罪隨造一種，如是名爲是無間罪，非根本罪。只是受了三歸五戒的，受十戒的，在這五無間罪中隨造一種，故殺父，故殺母，這都算是無間罪，是無間罪，非根本罪。具足無間罪了，但是不能兩者都具足。他只是具足一個，不是根本罪。根本罪輕一點，無間罪重一點。這種人也不能收他出家，不合出家及受具戒。「若令出家，或受具戒者，師便得罪。」這位剛出家的人，要擯出去，不許在僧衆之內。

若是有人受了三歸，受了五戒，於佛法僧生起懷疑，他又去歸依外道。歸依外道，以外道爲師導，說了很多的吉凶之相。受了三歸，受了五戒，你在佛法僧三寶之中生起懷疑心，又去研究吉凶禍福，歸依外道。

我們現在多加一個，學氣功。學氣功對不對呢？若你作爲鍛練身體，打拳練氣功，以爲會得什麼好處，那就錯了。這就要看你的用心是怎麼樣？但是在佛教中，你受了三歸五戒就不能作，那是外道，非佛教，也就是佛道之外的。要他來作你的老師，引導你，或者執著多少都不管，乃至於一點點吉凶禍福之相，甚至於像祠堂、祠祭、神宮。這個祠包括很多，祠堂祭鬼祭神，祭鬼祭神都要酒肉，拿素食到鬼神廟去祭供，你還不如不供，你供他，還會產生瞋恨心。

「若復有人於如來所說正法，或聲聞乘相應正法，或獨覺乘相應正法，或是大乘相應正法。」相應的意思就相合，你的心意跟大乘法、跟二乘法相應。「誹謗遮止」，或者別人去弘揚，令衆生得度，你卻在這個地方謗毀，勸人家不要信，說沒有什麼好處，乃至於說很多的破壞話，遮止別人，不准他去聽，或者是不准他去受、去聞，或者不准他親近，這都包括在內。

自己不信，還令別人背叛，乃至於讓他對三寶生起厭煩心。或者障礙他人讀誦經典，書寫經典，包括了一頌四句，這不是根本罪，也不是無間罪，但是罪惡是極大的。所以說是謗法罪，這叫近無間罪，跟無間罪相近。

如果這個人還沒有把這個懺除，沒有懺悔，沒有除掉這個罪，那麼有這個大罪惡就不能出家，也不能給他受具足戒。這都是不通懺悔的罪。假使說這位師父把他收了作徒弟，完了，還給他受具足戒了，這位老師得罪，他犯法，所犯的法是佛法，並不是犯俗家的正法，那麼這位弟子就會被驅擯。

所以，若是已出家，或者受了具足戒，犯了這個，怎麼辦呢？要懺悔，懺悔的方式有很多。二十僧衆給他懺悔，或者僧衆給他作羯磨，讓他永遠作淨人，在寺廟裡永遠行苦行。他要是懺悔，可能這樣處理。要是不懺悔，很快的就把他驅逐出去。爲什麼會這樣呢？因爲這兩種人習行破毀正法眼行，他所作的，使這個正法眼藏，不能久住世間，會瞎人天的眼目，瞎一切衆生的眼目。

沒有佛法，我們就不明，有佛法就是照明的意思。同時他所作的是把正法像燈似的照明，給他隱滅，使他不顯，乃至滅除。這種行爲是什麼行爲呢？斷絕三寶的種行，這叫斷三寶種，令一切天人習行無義無利的苦行，墮諸惡趣，讓人家都去墮惡道。

所以這兩種人，他自己是毀謗正法，毀呰賢聖，而令別人毀謗正法，毀呰賢聖。命終了，當墮無間地獄，經劫受苦不可療治，墮到五無間罪的時間非常的長。所以要是墮到無間獄，於賢劫的千佛出世，你一個也遇不到，你還沒有離開地獄，千佛出世，你都遇不到，乃至經過無量的大劫，不是小劫，而是無量的大劫。

這一段專門指著破戒比丘，造大惡業的比丘，你不要謗毀他，應當恭敬，也不能夠鞭打，乃至惱害。或者使他的生活資具不完全，將有一個施主要供養他，你說：「那是破戒比丘、壞人！」糟了，他馬上就不供養，那你就犯罪了，你這個罪跟這個破戒比丘是一樣的。

「復次大梵，或有遮罪無依行法，或有性罪無依行法，於性罪中，或有根本無依行法。云何根本無依行法？謂若苾芻行非梵行，犯根本罪，或以故思殺異生人犯根本罪，或復偷盜非三寶物犯根本罪，或大妄語犯根本罪。若有苾芻於此四種根本罪中隨犯一種，於諸苾芻所作事業令受折伏，一切給施四方僧物，皆悉不聽於中受用，而亦不合加其鞭杖，或閉牢獄，或復呵罵，或解肢節，或斷其命，如是名爲於性罪中根本重罪無依行法。何故說名爲根本罪？謂若有人犯此四法，身壞命終，墮諸惡趣，是諸惡趣根本罪故，是故說名爲根本罪，何故無間及近無間根本罪等，說名極重大罪惡業無依行法。」

我們就講性罪，性罪裡頭有根本、有非根本的。什麼叫根本的無依行法呢？「若苾芻行非梵行」，行非梵行就是犯淫戒，犯根本罪。或以「故思殺異生人」，若犯殺戒，犯根本罪了，或有偷盜非三寶物，犯根本罪了，偷人家東西。但是在印度，佛陀制戒的時候，他有個標準。在印度當中，這個東西要是值五個印度的錢，那也算根本罪，也就是盜戒的根本罪。

或者大妄語，大妄語在佛教是自己未證言證，未得言得，這叫大妄語。未得聖果，自己說證聖果，騙取人家的信仰。自己為了名利而騙取信仰，主要是為利。這四種叫淫殺盜妄。因為在聲聞法中，把淫戒擺在前面的。你受菩薩戒的，他是殺盜淫妄，把淫擺到第三位的，這是有關係的。在菩薩，是大慈大悲為主的，以菩提心救度一切眾生，怎麼還會去殺眾生呢？所以這個罪最重。在次序上，殺戒最重。偷盜，行菩薩道，要布施，第一個要布施眾生，拔眾生苦，怎麼還會偷眾生的東西，來營養自己？所以他犯的很重。這叫四根本。

淫殺盜妄，此四根本罪中，隨犯一種，於諸苾芻所作的事業令受折伏，你這種事業會抹黑清淨的比丘眾們。折伏的意思就是被人所折伏，或者是自受折伏，乃至於說犯了這種根本罪的人，他是在比丘所作的事業上，受了挫折。對於一切施主所供養的四方僧物，都不給他受用。一切房舍，衣物，乃至於僧衆的東西，都不能分給他。也就是取消僧人所應當享受的福利。雖然是這種人，「而亦不合加其鞭杖，或閉牢獄。或復呵罵，或解肢節，或斷其命。如是名爲於性罪中的根本重罪無依行法。」因爲這些都是不生善法的、不生功德的無依行法，我們前面講了，所作的就是不能生功德的，這叫無依行法。

何故又說名爲犯根本罪呢？下面就解釋什麼叫根本罪。假使有人犯此四法，身壞命終，墮諸惡趣，看他犯時的情節。在律戒上講，要研究你犯戒的時候，心猛利不猛利。猛利也有關係，有意無意也有關係。或者當你殺異生人的時候，你的瞋恨心非常重，那就是猛利。你要是想殺又不想殺，這種心情是不猛利，也就是你殺的時候，感覺自己在犯罪，自己心裡也很難過，但又不得不殺他。不殺他，恐怕就要受到危害，這個罪就比較輕一點。

所以爲什麼要學戒呢？就是學這幾種，一個是因，因就是猛利不猛利，一個是緣，促成的緣，緣的情況很複雜，這裡頭都要加以分別。當他犯罪的時候，如果學過法律的，他就懂得這個。世間法也如是，這叫根本罪，名爲根本罪。若要是有人犯了這四法，身壞命終，墮了惡趣。有的犯淫邪行，要墮鴛鴦，墮畜生道，要墮傍生道。傍生也是指畜生，但不是飛禽。畜生包括很多，有海裡的、陸上的，都有所不同。什麼叫無間及近無間呢？根本的罪呢？說名極重大罪惡。這是所造的罪業，是無依行法。

「善男子！譬如鐵摶鉛錫摶等擲置空中，終無暫住，必速墮地，造五無間及近無間四根本罪，并謗正法疑三寶等，二種罪人亦復如是。若人於此十一罪中隨造一種，身壞命終，無餘間隔，定生無間大地獄中，受諸劇苦，故名極重大罪惡業無依行法。犯此極重大罪惡業無依行法補特伽羅，於現身中決定不能盡諸煩惱，尚不能成諸三摩地，況能趣入正性離生，彼人命終，定生地獄，受諸重苦。」

拿鐵丸或者鉛丸，凡是重的，你把它往空中擲去，它落下來非常的快，一時都不停，重的物品，擲往空中，在空中不能暫住。這是說，犯了這種罪的人，一命終，一念之間，馬上就墮地獄。這人死了，你把他擺七天也好，當時把他燒了也好，毫無價值，沒有關係。在佛教，人死了之後，他的尸體最少要停留三天，乃至於七天。

爲什麼呢？他的神識未離體，善惡業都不猛利。善業猛利，一念間生極樂世界，一命終，一念之間就走了。或者生天，一念間就走了。他沒有，善業不猛利，惡業也不猛利，就是他趣向未來受報的時候都不猛利。不猛利，他就很緩慢，他的神識就不離開他的肉體，還眷戀他的肉體，捨不得走。神識未離體，就因爲這樣子多擱幾天，等他確定死了，身上都冷了就走了。

這在經上講得很詳細，有些人走的時候先由下部涼，或者由頭部涼。從頭部涼的，墮三塗的多，從下部涼的，生天的機會就多。這種測驗都是對二不定的。但是對於作業猛利的時候，墮地獄如射箭，就像鐵丸、鉛丸，反正是重的，你把它往空中丟，它很快就墮了，終不能暫住，必速墮地，一定要墮下來的，墮的還很快。造五無間及近五無間，乃至於四根本罪，并謗正法懷疑三寶的二種罪人，也就是近四無間、近四根本罪這兩種罪人，也是這樣子，很快的就墮地獄。

「於此十一罪中隨造一種，身壞命終，無餘間隔。」上面五無間罪是五個，叫五無間。四根本是四個，這就是九個。還有，「近於根本」、「近於無間」兩種，這樣就有十一個。隨犯哪一種，身壞命終，無餘間隔。中間命盡了，中間一點兒間隔都沒有了，「定生無間大地獄中，受諸劇苦」，這種苦難非常的劇烈，故名極重大的罪惡業。「無依行法」，犯此極重大罪惡的無依行法的補特伽羅，這一類衆生，於現生中，決定不能盡諸煩惱。

今生你想除盡煩惱，證得佛果，是不可能的，乃至於得定也不可能。尚不能成就三摩地，況能趣入正性離生嗎？離生正性就是指涅槃說的。而見道的正性離生，離開生死的煩惱，那叫趣入正性離生，趣入涅槃，離開生死。彼人命終，定生地獄，不但證果不能，生天也不可能，再轉人道都不可能。

「受諸衆苦」，從無間地獄出來，時間非常的長，即使會出來又托生到人。可是由於過去的業力，他會變得盲聾瘖啞，四肢殘缺。這種人，就是從三惡道中出來的，或者從地獄出來的，大概從五無間出來的這類人很多。他所投生的家庭，還是惡行人。「方以類聚，物以群分。」這種罪可作不得。

但是透過拜懺，稱名號，〈大悲懺〉也好，〈地藏懺〉也好，我們拜的〈占察懺〉，拜〈千佛名懺〉，都能消除這種罪業，這叫大乘法。你念地藏聖號、念觀世音菩薩聖號，念這幾位大菩薩，乃至於念佛號，都能消滅你的重罪。不過，當生想得成就，是不可能的。

我們再翻過來說，現生得成就的人，那是過去他積的業很善、很大，修的道將成而未成，就在今生完成，是這個涵義。你看見別人受供養，你要隨喜讚歎，因爲他有功德、福報。你雖然沒有得到，因爲這一隨喜讚歎，你就有了一半，一定要隨喜功德。十大願王的第五大願，「隨喜功德」，是我們種善根，乃至於培福，這是最好的方法。

你看著街上，不論是三寶弟子或是一般的人，隨便作什麼好事，看人家放生的，你雖然沒有出錢，但讚歎隨喜一下，你跟他是一樣的功德。見了善事，你都應該隨喜。見了惡事，你一定要懺悔，幫他迴向，這樣子你自己就是行菩薩道。第四大願是「懺悔」，懺悔完了就隨喜，這應當是隨時要作的。這是資糧，備辦這種資糧，對未來成道有很大的關係。

「復次大梵！若善男子，若善女人，以淨信心，歸依我法，或趣聲聞乘，或趣獨覺乘，或趣大乘，於我法中，淨信出家，受具足戒，於諸學處深心敬重，於四根本性罪戒中，堅固勇猛，精勤守護，如是之人，常爲一切人非人等隨逐擁衛，名不虛受，人天供養。」

前面是說作惡的、破戒的。這裡是說持戒的，兩者相互對比。若有男眾女眾，有這些很善良很好的男子、很好的女人。淨信心，信心我們都有，淨，就很不容易。我們總說，不爲名，不爲利。想求聖道，不是偷閒，看見和尚，以爲和尚很好當。過去有句詩，是羨慕和尚的生活：「鐵甲將軍夜渡關，朝臣侍漏五更寒，日出三竿僧未起，看來名利不如閒。」

我出家之後，就感覺這首詩根本是不對的。爲什麼呢？「日出三竿僧未起」，他看見和尚在睡覺，可是並他可不知道和尚兩點半就起來了，上完殿，喝完粥，過完堂，回去重新休息一下。他看見的是和尚還沒有起來。有的睡一下，有的去打坐，他看見的是這一段。和尚兩點半鐘就起來了，你到寺廟去，鐘鼓一敲，還不起來？那大鼓大鐘，滿寺院的人都起來了，你不能缺勤。以這樣的心態來出家，羨慕和尚的生活安閒，或者躲債，或者避難，來到和尚堆裡，這種人是不能作到好的和尚，但是你也不能夠輕視他，有這個涵義。這個是有淨信心的。

歸依佛法之後，他求修道，或者是修苦集滅道四諦，修十二因緣，或者修六度萬行，我們總說，拿這個作代表，這叫三乘法。那麼他以清淨的信心來出家，受了具足戒，「於諸學處」，就是戒，受了戒，得要學，比丘戒必須得受後才能學。菩薩戒是反過來的，先學好再受戒。三歸五戒，那是容易的。你可以先學再受，也可以受之後才學，那是方便善巧、攝引的。但是比丘、比丘尼戒就不同了。

受了戒之後，比丘出家的前五年，一定要學戒律。戒學精通了，才能學經學論。戒律是最先的。同時學的時候要具足深心、善心、淨心，深心就包括很多了，這個地方講的深心，是要有至誠懇切心。

〈大乘起信論〉上講深心，深心要具一切善法，而大菩薩所作的只是這個深心，也就是至誠懇切。這樣子才能在殺盜淫妄的四根本戒中，堅固勇猛，精勤守護。受戒容易，守四根本戒很難。所以必須要堅固，堅固的意思就是非常的堅強，受任何的挫折都不退心。你才能守得住四根本戒，不然很不容易守。因爲有過去無量劫的習氣，但是這只限定在比丘戒相，你把相守住就行了。

在菩薩戒，也是講心。像在四根本戒，瞋恨心不起，沒有殺人之心，不可能。當你恨人家的時候，什麼心都會生出來，先不說殺人，你看蟑螂，或者老鼠，它把你的東西咬壞了，把你的飲食給破壞了，你的瞋恨心馬上就來了，你想把它整死，這就是殺心。所以，你必須有深切的信仰，這是堅固的、勇猛的意思。這四根本戒，你不能退卻。你稍微的一退卻，那就完了，雖然沒有犯到根本，沒有犯到究竟。但是一方便，你又犯了。要精勤守護，一點也放逸不得。

「防意如城」，守戒就像如意玉的潔白無瑕，不能有一點兒玷，有了，怎麼辦呢？錯了馬上就懺悔。半月半月布薩，就是要把自己所作的錯事提出來，讓大衆僧知道，你清淨了，又還願。這等於是我的衣服髒了，洗一洗，洗了，它不又乾淨。衣服破了補，補比洗可就難了。雖說補上，還是有個疤。破了戒，雖然是你懺悔了，但是總也是污點。所以你精勤守護，要不犯，這樣子才能得到人天的供養，「人非人等」，「非人」就指是神鬼，他就擁護你，受人天的供養。

「於三乘中，隨所欣樂，速能趣入成辦究竟。是故眞實求涅槃者，寧捨身命，終不毀犯如是四法。所以者何？諸有情類要由三因得涅槃樂，一者依止如來爲因，二者依我聖教爲因，三者依我弟子爲因。諸有情類依此三因，精勤修行，得涅槃樂，若人毀犯如是四法，我非彼師，彼非弟子。」

在聲聞緣覺菩薩的三乘法中，隨你所欣樂，就是你前生的因，跟現在外邊的助緣，因緣成熟了。那麼，你學四諦法，或者是學因緣法、六度法，四根本戒不犯，其他的細行威儀，你犯了，一懺就清淨了，不會障礙你的修道，不會障礙你的成就。犯四根本戒就會障礙你的修道成就，你修道時就無法進入。爲什麼這樣說呢？如果是成辦究竟，這樣子才來求涅槃，求不生不死、不生不滅的道理。所以你守這個戒，應當堅固的守到什麼樣程度呢？「寧捨身命」。

在佛經的戒律裡頭，不殺生到什麼程度呢？綁上一個草，那盜賊搶他的時候，沒有甚麼可以綁的，就拿條繩子，就把他栓到草上。他知道比丘不敢動，他一動，那個草就被拔了，這樣就破戒了。印度的那些盜賊，對出家人都這麼相信。這叫草繫比丘，要是那樣，他就成道了。這叫勇猛精進。

我們都會有善巧方便，爲什麼把他綁在草上？你把他綁在樹椿上，他都想辦法解開，自己跑了，是不是這樣呢？這是說持戒堅固的事，他寧可捨掉他的身命，終不犯如是四法，不犯淫殺盜妄這四戒。爲什麼要這樣說呢？「所以者何？」說一切有情類，要由三因，得涅槃樂。

這三種因，這上面說的是依止如來，「依止如來爲因」。開闊一點，要依止善知識，依佛，要依聖教，要依法。如來爲因，聖教爲因，就是法爲因。

還要依我弟子，也就是依止僧，這叫依止三寶為因。那麼還再接受教導，這個法裡頭經律論三藏都包括在內，並不是專指戒律，經論都包括在裡頭。一切有情類，一切眾生，依著這三因，就是依著佛法僧精勤修行，就能證得涅槃。

這些我在台北清泉會館講了四次，就講歸依三寶。也就是依著三寶修行就夠了。依著歸依佛，歸依法，歸依僧，晝夜的持誦歸依佛、歸依法、歸依僧，這樣就功德無量了。所以，以此為因。

還有，助緣！有這三因，精勤修行，精進勇猛不懈怠的修行。《大集十輪經》所講的修法是持念來去，觀出入息，這都是修行的方法。所以三寶為因，就是你不去分別他什麼犯戒、沒犯戒，不管他，就管你自己的心好了。這個因是種在你的心裡頭，對我一切的弟子，佛說了，你不要去分別他。你對一切僧眾平等，聖僧，我也一樣，凡夫僧，我也當聖僧，對聖僧、凡夫僧不起分別。

不說這個僧有修道，他修行得好，我要供養他一點，福報就大一點。這個僧是破戒和尙，我供養他，恐怕我福報就減少，你別這樣去分別！如果你沒有分別心，都當成聖僧去供養，那麼你所種的福報、所得的福田、所行的道，就如是。

如果你看這是泥塑木雕的像，說這是紙像，紙像、泥塑、木雕的，當然不靈。紙有什麼靈呢？你當成是眞佛在，他就靈，是你的心靈。這是佛法僧三寶在你的心裡頭，給你作修道的因。你得有淨信，有清淨信心，才能進入，才能夠達到無分別。如果沒有清淨信心，怎能無分別？我們兩個眼睛，用意識眼識，他就分別了。習慣了，還不等到舌根去嘗，你也知道苦辣酸甜，苦瓜一定是苦的。

這種道理要時時的防護。這是說一切諸有情要依止這三因，精勤修行，就能得到涅槃樂，要是毀犯了如是四法，犯了淫殺盜妄，我不承認他是我的弟子，「我非彼師，彼非弟子」，要擯出佛法之外。

「若人毀犯如是四法，則爲違越我所宣說甚深廣大無常苦空無我相應利益安樂一切有情別解脫教，若越如是別解脫教，則於一切靜慮等持，皆成盲冥，不能趣入，爲諸煩惱惡業纏縛，於三乘法亦爲非器，當墮惡趣，受諸重苦。若善男子，若善女人，於我所說別解脫教所制四種根本重罪清淨無犯，我是彼師，彼是弟子，隨順我語，善住我法，一切所作皆當成滿。此人善住尸羅蘊故，名爲善住一切善法。或名具足住聲聞乘，或名具足住獨覺乘，或名具足住於大乘。所以者何？若能護持如是性罪四根本法，當知則爲建立一切有漏無漏善法勝因，是故護持如是四法，名爲一切善法根本。」

若人毀犯如是四法，則爲違越我所宣說的甚深廣大無常苦空，無我相應利益安樂一切有情的別解脫教。違背了，越過去了，也就是犯了。違越什麼呢？就是我所說的一切法，總說，就是無常、苦、空、無我，這四法是與涅槃相應的。這跟不生不死，乃至於成就道業，是相應的。如果這四法不犯，跟苦空無常無我的四聖諦相應，能夠使一切衆生得到利益，乃至於使一切衆生能夠解脫，這是專指戒說的。

別解脫，你持一條戒，就解脫束縛，持一條戒就是把束縛解脫一些，這就解脫了。二百五十戒清淨不犯，證阿羅漢果，如是分別解脫戒。若是超過，就犯了。「則於一切靜慮等持，皆成盲冥」。等持就是等持一切法，平等持一切法的法義。盲冥就是瞎子，冥就是黑暗，就是在你習定修法的方面，乃至於學教義，你都不能趣入，黑暗一片。盲，什麼也看不見了。我們有眼目不是盲，但是在明中沒有燈光、沒有日光、沒有月光，沒有三光的時候，你也是冥的，也看不見。所以，不能趣入。你怎麼能趣入涅槃呢？爲諸煩惱的惡業所纏縛，「於三乘法亦非法器」。這樣子爲了煩惱惡業，惡業所作的業都是不順法性的，對於解脫戒不相應的，這就是惡業。

或者說我們的煩惱很多，這是因爲我們所作的事，盡是產生煩惱，不產生功德的。功德無依，你所行的是無依的，是生煩惱的，不能夠生功德的，不能生善法的。因爲惡法把你纏住了，一天在煩惱當中，你還怎麼修道呢？乃至於你修道的好壞，信佛之後，不論你念經習定，這是最好的檢查，感覺自己的煩惱如何，你見著什麼，心裡都不痛快。你信佛之後，歸受三寶，受了三歸，乃至於五戒。你之所以沒有得到利益，因為你還在煩惱當中。煩惱是跟惡趣相應的，是跟不善業相應的，是跟惡業相應的。不煩惱是跟善法相應的，是跟善業相應的。

如果能夠守好四根本戒，佛怎麼說，我們就怎麼作，「隨順我語，善住我法」，依教奉行，佛怎麼說，他就怎麼作，常住於佛法中。這個法是什麼法呢？佛法就是你的心法。文殊菩薩教導我們就是「善用其心」，「善用其心」就是斷煩惱，隨時隨地把你的心用得很好，用到善上。我們很多人是善用其惡，他以為自己有好多點子，好多主意，好像很有辦法，但他是惡念，在善上，不大管用的。你所作的事業怎麼會能成就呢？

如果是「隨順我語，善住我法」，那麼他一切所作的皆當成滿，圓滿成就，無欠無缺。「此人善住尸羅蘊」，尸羅就是律，尸羅的涵義，你善住防非，止惡生善法，這就是尸羅的涵義。蘊是蘊藏著，尸羅裡蘊藏著無量的善法，無量的功德，這才叫「欣善住一切善法」，「或名具足住聲聞乘」，「或名具足住獨覺乘」，「或名具足住大乘」，這樣就住於三乘了。

大家想一想淫殺盜妄這四戒，過去雖然沒有犯那麼嚴重，但是在心裡頭，我制止不住。我看見人家好的東西，心裡就想得到，想佔爲己有，這是犯盜戒。生起過份的想，好比花在那兒有主的，沒主的不算，山上的不算。有主的這花是供佛的，你到那兒聞一下子，這是盜香，供佛的香，買香的時候，買花的時候，你不要先聞。如果你不買它，不是供佛的，你的意念沒有作過供佛用，那你可以聞一下。

如果你已經確定，我買這花是要供佛的，聞一下，就是盜香，你沒有得到佛的許可，你拿著就聞了，那不成。盜戒是非常難持的。我沒有偷人家的東西，我還犯盜戒？好多人說他犯盜戒，他不承認！「我偷人東西？」你一天當中都是偷心、偷業、偷法、偷緣，多得很。

所以弘一法師單作一本盜戒戒相，盜戒戒相是很難持的。但是，對我們來說，舉離本處爲犯。好比這朵花，我把它拿了，離開原來的地方。後來我又後悔了，把它擱下，犯了，還是要懺悔。只要舉離本處，就已成犯了。第一念完了，成了事實，後悔。第二念，我是持戒的，我怎麼能犯這個！這是犯五戒的，淫殺盜妄四根本都具足了。趕緊又擱回去，已經犯了，擱回去也得懺悔。不過這是輕微的。

實在的說，如果四根本法不犯，是建立一切有漏無漏的善法勝因。在有漏法中，他也是殊勝因，你想得到人天的福報，想得到榮華富貴，那也得要依這四種法，也就是世出世間法。有漏是指世間法，無漏是證了佛法的果位。佛法是無漏的，證得了這個果位。這是一切善法的勝因，最殊勝的。因是因能生起，能生起一切善法的，最殊勝的因。是故護持如是四法，名爲一切善法的根本。因此，你要護持這四法，這一切善法的根本，就因此而產生的，從此而生。

我們回顧一下，就說這個性罪，我們在日常生活當中，在人跟人的交往當中，大家想想看，不犯這種四種罪的人能有多少？大家是從台北來，大家再看看在台北不犯這四種罪的人多不多？很多，冤枉殺的，害人家的，揑造事實陷害別人的，恐怕都很普通。眞正的要是護持四法不犯的，反而成了少數，犯的成了多數。

所以《大集十輪經》跟我們日常生活很有關係，我們應當隨時的觀想，這個四種很容易記，你觀照起來也很容易，起心動念的時候去觀想也很容易。假使不清淨的話，沒有堅固信心，這個裡頭生出的煩惱太多了，千千萬萬，有種種的方式，種種的不同。

大家知道學戒是很難學的。弘一老法師，自從他出家之後，就圈點南山三大部，三大部就是三部論，他並不是去註解，只是圈點一下，句點，逗點，圈點一下，都費了好些年的功夫。如果我們打開看，有文學底子的都不容易看的懂，他寫的時候是沒有句點的。戒律是很難學的，所以我們受了三歸五戒，一定要遵守好三歸五戒。五戒就是四根本，能持好五戒，一切善法的根本都具足了，乃至能夠逐漸的成佛。

「如依大地，一切藥穀卉木叢林皆得生長，如是依止極善護持四根本戒，一切善法皆得生長，如依大地，一切諸山：小輪圍山、大輪圍山、妙高山王，皆得安住。如是依止極善護持四根本戒，諸聲聞乘，及獨覺乘，無上大乘，皆得安住，如依大地，求得一切世間美味，如是依止極善護持四根本戒，求得一切念定總持安忍聖道，乃至無上正等菩提。」

四根本戒就是淫殺盜妄四根本戒，五戒當中的飲酒戒不算，飲酒戒算是輕微的。這四根本戒，不論是歸依三寶的、受三歸五戒的弟子，八關齋戒的弟子，乃至沙彌尼、式叉摩那女、沙彌、沙彌尼、式叉摩那女、比丘、比丘尼七衆弟子，是共同遵守的。爲什麼叫根本戒？因爲根本戒能生根本智慧。如果犯了這個戒，智慧生不了，福德也都喪失了。如果是破了四根本戒，所有的一切善法你都不能安住。

佛就比喻說，因爲有這個大地才能夠生長一切，各種的糧食、各種的藥物、各種的花卉，乃至於樹木。我們知道，沒有樹木，我們是不能生存的，樹木是製造氧氣的。如果城市的樹木少了，就不能調劑氧氣。如果沒有大地，一切事物都不能存在，就是這個涵義。如是者，就拿這個大地來作比喻，我們要護持四根本戒的目的，就是生長我們的一切善法，像大地似的，一切山得依靠大地而安住。

一切善法，都是靠護持四根本戒。如果受三歸之後，沒受五戒的，他根本不犯。如果他犯了這四根本戒，他是依著國法制裁的。犯這四根本戒，從古至今，國家法律都要制裁，那麼他就不犯遮罪。但是他所得的功德、所得的善法，也就不能生長，生長得非常慢。

你要是入了佛門之後，要想得禪定、得三昧，「總持」就是三昧，得陀羅尼，乃至於得六度萬行，乃至於成佛。如果不護這四根本戒，你想求得念清淨，得定清淨、得三昧，這些都是不可得的，成佛更是無望。像大地，它是沒有選擇的，它是平等的。

所以，他不管你在這個地表上有什麼乾淨的、不乾淨的，它沒有分別。平等的任持，它沒有選擇，不能夠說清淨的，我就任持，不清淨，我就不任持。佛拿這個是比喻破戒的比丘。如果犯了四根本戒，又怎麼辦呢？我們前面講的，說剎帝利帝王，或者是婆羅門，乃至在家的兩衆弟子，這一切的人類，對於出家人要尊敬，不能破壞，不能說他的過。

「又如大地，於淨不淨皆等任持，極善護持四根本戒諸善男子及善女人亦復如是，於其法器及非法器，其心平等，不譏不弄，不自貢高，不率呵舉，能爲一切善法生處。又如大地，一切有情皆共受用而得存活，極善護持四根本戒諸善男子及善女人亦復如是，於諸如來所說正法，生長第一歡喜淨信，於諸有情無差別想，以四攝法平等攝受，一切有情皆共依止，受用法樂而自存活。」

以下說的是出家人對出家人，和尙對和尙。對這些破戒的比丘應當怎麼辦呢？這個僧團就像大地一樣的，淨不淨，持清淨戒的、不持清淨戒的，還是平等對待他。但是，護持清淨戒的，容易成聖道，容易脫離煩惱，容易離開苦難。你過去破了四根本戒，雖然經過無量億生都得受苦惱的。就算再變成人類，或者四肢殘缺，或者精神不正常，或者沒有福德智慧，那就是對我們前面所講的修定、持誦，乃至營福，都沒有了。如果過去破根本戒的，他現在乃至再聞法，那就很難了，不知道要經過無量億劫，很難得遇著三寶。

所以說一切善男子善女人護持戒的，應當像大地一樣。有的是法器，聞法，就能夠受持，也就是盛法的器皿。有的他雖然聞法，不是盛法的器皿，他就漏落。像我們裝水的碗，或者鉢，你不能有一針孔大那麼大的破洞。如果有漏處，那就有漏，水總是盛不住的，總會漏完的。但是我們可以補一下，找個補碗的補一下。現在更有辦法，拿膠布在底下黏上，把洞黏上，他就漏不出去。但是，還是有殘缺，這大地對一切的染淨都能平等對待。

所以僧團之內的僧寶，對待這些出家的，或者是對待在家受五戒的，也受四根本戒，他破戒了，你的心還是平等的對待他們，不要譏諷他們，不要笑他們，不要對他們表示：「我是持清淨戒的，你是破戒的」。在我們道友之間，有很多這些問題。佛就專門針對這些問題指出來，大家要特別注意。要以平等心來對待，不要輕率的呵責他，乃至於揭發他，揭舉他的過錯。像我們道友之間，雖然是同一個師父受的三歸五戒，還互相指責，不是同一個師父的，那就更不用說了，這些都是錯誤的。

如果這樣來護持，就使一切善法能生，那些已經作錯事犯了戒的人，就想求懺悔，懺悔之後就清淨了。但是不能懺悔的，只要他有慚愧心，有悔過心，不繼續再作，他所犯的一切，知道是錯誤的。雖然他沒有懺悔清淨，他不再繼續作。作罪惡也如是，作善也如是，好像有個習慣。他作慣了，不作，他心裡很不舒服。

我住監獄的時候，問那小偷，為什麼要偷人家的東西？偷了，你又不享受！他說，他見東西不偷，心裡手癢，也沒有辦法睡，飯也沒有辦法吃。等把它偷了，自己也不用，拿了又把它丟了，或者給人，他就心安了。還有，你問作屠宰業的，他不作，心裡不安。他作某種業，那種業力使他繼續作惡，他就是不能懺悔。佛教僧海裡也如是，就如那大地一樣，大地的一切有情，大家共同享受，能夠共同生活。這四根本戒，就是我們要使我們的僧團好，要使佛法能夠興盛，能夠久住於世間，那你就護住四根本戒，佛法就能久住世。

什麼是第一歡喜淨信呢？於一切衆生一切有情不起分別心，沒有差別想。但是這裡頭又有一個問題，沒有差別想。為什麼比丘、比丘尼一樣出家的，女衆的戒律那麼嚴呢？有三百四十八！為什麼男衆只有二百五十？這不是差別。爲什麼受菩薩戒的出家人，受菩薩戒一定得受十重四十八輕戒，在家可以受六重二十八輕？這不是法的差別，而是根基，有的接受得了，有的接受不了。但是都要求你有一個清淨的信心，不要生差別想，三乘法是平等的。

對於這個根基，他只能接受到這個程度，就給他說苦集滅道。對哪一個根基，因爲程度不同，就給他說布施、持戒、忍辱、禪定、智慧，給他說六度法。這不是差別，而是眞正的平等。他能接受多少，就給他說多少。

佛有這個四攝法，是平等攝受的，布施是不擇對象的。說他是佛菩薩，我們就供養，他是苦衆生，我們就施給他。布施不一定就是給點錢，也包括法施，像你給他說法，第一個就是布施。像愛語，跟人家說使他喜歡聽的話，不要出惡語，不要隨便呵責別人，對任何人都如是。就是連幾歲小孩，都有自尊心，你把他呵責慣了。當父母的不如意的話，順手就給他耳光，或者打他兩下子。他稍微錯了，就罵他、呵責他，這是不可以的。

還有，對他作有利益的事情，利行。無論在言語行動上，或者財利方面，任何對他有利的事情，多作利他。同事，你如果想度他，他作什麼，你就作什麼，你才容易接近他，使他的心接受。佛教導我們用四攝法，去攝受一切有情。這樣他就容易接受。因為佛法在世間的時候，一切有情皆共依止。依止，他就能夠得到法的歡喜，能夠得到法的快樂。這樣存活包括兩種，一種世間法的存活，與世無爭，生活的煩惱很少。另一種存活，在教內，在佛法之內，經常這樣的行道，長養自己的法身。

佛說這段話，優婆離尊者感覺有問題，問佛：「我對於惡行比丘應該如何處理呢？」下一段文就是這樣的說法。

「爾時尊者優波離聞佛所說，從座而起，整理衣服，頂禮佛足，偏袒一肩，右膝著地，合掌恭敬白佛言：世尊！如佛所說，極善護持四根本戒諸善男子及善女人，於其法器及非法器，其心平等，不譏不弄，不自貢高，不卒呵舉。若如是者，於未來世有諸苾芻破戒惡行，實非沙門自稱沙門，實非梵行自稱梵行，諸苾芻僧，於是人等，云何方便呵舉驅擯？」

優婆離尊者是佛弟子當中持律第一的。律藏結集就是以優波離尊者為主結集的，他是護持戒律的。他聽佛說，對一切都要這樣平等，那惡行破戒的比丘還對他不呵責，要是這樣的話，僧團怎麼辦呢？他就問佛，前面是指請問的時候所作的儀式。他問，照佛這樣說，護持四根本戒的善男子善女人，這是法器，要是對非法器破戒的，破了四根本戒的，怎能對他平等？還不准譏諷他，不准戲弄他，那個持戒的比丘，不能貢高我慢的，不能輕易的就呵舉這個破戒的比丘。要是像這樣子，未來那些破戒的惡行，根本不是沙門，自稱沙門，他所作的都是污染的。他自己說是梵行，是清淨行，於大衆之中，要怎麼樣制裁他呢？

「佛告尊者優波離言：我終不許外道俗人舉苾芻罪，我尚不許諸苾芻僧不依於法率爾呵舉破戒苾芻，何況驅擯？若不依法率爾呵舉破戒苾芻，或復驅擯，便獲大罪。」

在佛的法中，外道就不是佛教內的，還有在家人、俗人，乃至國王、大臣，不許他們說出家人的罪，不許他們治出家人的邪。即使要呵舉他們的時候，得依法。依什麼法呢？佛對於犯戒的比丘有七種制裁的方法，哪七種制裁法呢？也就是作法事，第一是現前法，第二是憶念法，第三是布施法，第四是自然制法，第五是覓罪相法，第六是多人與法，第七是草敷地法，要依這個作羯磨法。

說比丘過，要依法，也就是要呵舉這個破戒比丘，得衆僧，一個人不行，起碼要有三個僧人以上，才能舉比丘過。你跟他不如意，你看他破戒，內心生起煩惱，你隨便就呵舉、呵責這個破戒的比丘，或者就把他攆出去了，驅擯了，「便獲大罪」。這個是你自己的罪，要受這個罪責的。這個大罪當然不是僧伽布薩，也不是波羅夷那樣的罪，也就是犯於呵僧之罪，輕視三寶罪，破壞三寶罪，你的罪很大。所以，佛說完了之後，就跟優婆離說：

「優波離！汝今當知有十非法率爾呵舉破戒苾芻便獲大罪，諸有智者皆不應受。何等為十？一者不和僧衆，於國王前率爾呵舉破戒苾芻。二者不和僧衆，梵志衆前率爾呵舉破戒苾芻。三者不和僧衆，宰官衆前率爾呵舉破戒苾芻。四者不和僧眾，於諸長者居士眾前率爾呵舉破戒苾芻。五者女人眾前率爾呵舉破戒苾芻。六者男子眾前率爾呵舉破戒苾芻。七者淨人眾前率爾呵舉破戒苾芻。八者眾多苾芻苾芻尼前率爾呵舉破戒苾芻。九者宿怨嫌前率爾呵舉破戒苾芻。十者內懷忿恨率爾呵舉破戒苾芻。如是十種，名爲非法率爾呵舉破戒苾芻，便獲大罪，設依實事而呵舉者，尚不應受，況於非實。諸有受者，亦得大罪。」

你現在知道「有十種非法率爾呵舉破戒苾芻，便獲大罪」。符合這十種呵責比丘的罪，就成立了，有智慧的人不應當這樣作。何等爲十呢？我說的十種非法，哪十種呢？「不和合僧衆」。這一條要非常注意的。凡是僧人意見不和合，利不和合、意見不和合，我們大家都知道，你有你的看法，我有我的看法，爭執很多。利不和，就是分配常住物，分配的不合理，這個當然會不和合。

現在廟裡，不論在西藏，在大陸，好比施主來供養，應當每人平等的，一人一塊錢。施主要供養是平等供養的，在西藏是有等級差別的，相差懸殊。我們分一塊錢，平等的，普通一般的小喇嘛，拿一塊錢。堪布、仁波切、大活佛有等級的，在寺廟住久的，他就拿到四百塊錢。你拿一塊，他拿四百。平等嗎？中間有拿二百的，有拿一百的，有拿幾十的，就一直下來到一塊錢。

大陸也如是，當家師、知客師，廟裡的老和尚，他拿二十塊錢，你拿一塊錢。佛在世，這是不行的。佛在世，佛也是一塊錢。我只是舉例，其實，佛在世是沒有人供養錢的，佛也不收錢的，持金銀戒。供養衣服僧衣，要供養這個衣，就是一人一件。

迦留陀夷尊者死後，他所有的財產值六十萬，那個時候的六十萬，不知道值多少錢。迦留陀夷尊者在佛在世的時候，他表現的是貪，故意作樣子。他是證了阿羅漢果的，得了無我。他爲什麼還要這樣作呢？示現的，這樣才好制戒。我是舉這個例子。

所以有這麼十種，不許呵責破戒比丘。第一個條件就是不和合僧，你不能作佛事，本來是不和合。或者在國王面前，「卒爾呵舉破戒苾芻」。國王到寺廟來，那破戒比丘當然他不受，他也看不起國王，破戒比丘是很驕傲的，他連戒都不受，他還幹什麼呢？二者是不和合僧，在那個梵志修清淨行的，就像中國儒教的長者、學者那一類的，在他跟前，不能呵責比丘過。

三者不和合眾的僧眾，在長官、地方官、或是高級官員面前，你不能呵責比丘過，責備他什麼錯，這是不可以的。四者不和合僧眾，於諸長老長者居士眾前，就在家俗人長者居士眾前，不能輕易的呵責破戒比丘過。五者在女人面前，不能呵責破戒的比丘過。

六者在一般的俗人男子眾前，不能傘爾的呵責比丘過。七者在淨人眾前，傘爾的呵責比丘過，這個淨人是在廟裡住的，不是出家人。像我們有打散工的，作義工的，那叫淨人。但是長期住在廟裡頭，不能在他們面前呵責比丘過。第八是眾多苾芻、苾芻尼前，大家正在眾會，很多比丘比丘尼前，你不能夠去呵責比丘過，哪怕這個比丘是破戒比丘。

九者是宿嫌怨前，這個比丘跟別的人有嫌怨，你當著跟他有嫌怨的人，去呵責他的過，這是不可以的。第十是內懷忿恨，你心裡已經起憎恨心，你就呵責比丘過，不可以的。雖然他破戒了，你不能輕率的、未經過合法的去指他的過之前，你不能這樣的呵責比丘過。

「如是十種，名為非法率爾呵舉破戒苾芻」。這裡有一個問題，大家想一想，破了戒比丘，佛還這麼保護他作什麼呢？為什麼還不許人呵責他？還不許人說他的過？過去的一切諸佛都如是。他雖然是破了戒，他的清淨種子還在，當他一念受戒，那一念間，乃至他出家的那一段過程，將來一定能成佛。由於這個，我們就聯想到所有聞到佛法的一切眾生，能夠親近佛法的補特伽羅，一定能成佛。什麼時間成佛呢？那就不一定，時間就很長，他這個種子種下去，他一定要生根，茁壯，成長，一定能成佛。

「設依實事而呵舉者，尚不應受，況於非實。」就是他所犯的錯誤，犯戒是事實，也就是事實的情況。應當在僧眾依照僧伽的法，舉他的罪。有二十個僧人、十個僧人或者三個僧人，那麼依著羯磨法來舉他的罪，下面有例子。要是不這樣作，那是非法的。況且那個事情，你是聽來的，是不是事實，還待考察，這樣就來呵舉他是不可以的。凡是這樣來呵舉比丘，亦得大罪。

諸有受者而依事實呵舉他尚不應受，何況不依事實呢？這個「受」字是指什麼說的呢？有人檢舉，讓大衆僧來作法的時候，不應當接受，應當先調查，調查清楚了，再接受。既然是事實了，也要愼重，這樣很容易破壞僧團。

像大天比丘，在印度就受到呵舉，他就單分那一衆，成了五百衆，單立他的法，就有大天法，大天有五法。這就是在戒律的名相，因爲意見不合而分裂的。佛涅槃後，戒律集結，就分成二十衆，當時就分爲二十個部派，這是因爲意見不同的緣故。你贊成這個比丘破戒了，要作羯磨法，我不贊成。你這一班人贊成，你一班人作，我這一班人也不贊成的，我就分開一班，當時就分二十個部派，這要學了戒律才能知道。這是專指比丘和合衆的，佛對這個問題非常愼重，說的非常多。

「復有十種非法呵舉破戒苾芻便獲大罪，諸有智者亦不應受。何等爲十？一者諸餘外道呵舉苾芻。二者不持禁戒在家白衣呵舉苾芻。三者造無間罪呵舉苾芻。四者誹謗正法呵舉苾芻。五者毀呰賢聖呵舉苾芻。六者癡狂心亂呵舉苾芻。七者痛惱所纏呵舉苾芻。八者四方僧淨人呵舉苾芻。九者守園林人呵舉苾芻。十者被罰苾芻呵舉苾芻。如是十種非法呵舉破戒苾芻，便獲大罪，設依實事而呵舉者，亦不應受，況於非實，諸有受者，亦得大罪。」

不能接受，不能領納這種問題。何等爲十呢？諸餘外道呵舉苾芻，外道呵舉比丘是不可以的。不持禁戒的在家白衣呵舉比丘，那個禁戒，是在家的。你受五戒或者八關齋戒，是佛所禁止的，依律說的。在家白衣，你不能呵舉比丘。三者造無間罪的呵舉苾芻，你造過無間罪，更不能呵舉比丘，你雖然懺悔了也不能呵舉比丘。四者誹謗正法的，不能呵舉比丘。

五者毀呰賢聖呵舉苾芻，這也不可以呵舉比丘。所以在家白衣呵舉清淨比丘，你犯罪，造無間罪。破戒比丘，你也不能呵舉他，你先得檢查自己清淨不清淨。前面是和合僧衆，若是僧衆不和合，不能舉比丘過。

「六者癡狂心亂呵舉苾芻」，你的內心都不正常，說了不算話，連這個呵舉都不算話，這也犯大罪。他有精神分裂，那是不可以的。「七者痛惱所纏呵舉苾芻」，他自己的煩惱纏縛他，去找比丘的過失，呵舉比丘。「八者四方僧淨人呵舉苾芻」，四方的僧淨人，在僧伽裡頭的淨人，這個淨人專指著在家人，並不是指出家人，在廟裡作事的，也就是僧伽淨人。九者守園林的人，守園林的人是指僧伽園林，守護園林的，也就是守護僧人財產的，不能呵舉比丘。「十者被罰苾芻呵舉苾芻」，你自己都被處罰了，沒有權力再去呵舉比丘。

如上者十種，「如是十種非法呵舉破戒苾芻便獲大罪」。「設依實事而呵舉者，亦不應受。」僧團不應當接受，就是他們上面這些人說的是事實，也不應當接受，就叫非法。何況他們所說的不是事實呢？誰要是接受了，誰要是呵責比丘誰就犯大罪。這樣子說來，破戒的比丘還可不可以跟僧共住呢？

「復次優波離，若有苾芻，毀犯禁戒，與僧共住，於僧眾中，有餘苾芻，軌則所行皆悉具足，一切五德無不圓滿。應從座起，整理衣服，恭敬頂禮苾芻僧足，便至破戒惡苾芻前，求聽舉罪，作如是言：長老憶念，我今欲舉長老所犯，以實非虛妄，應時不非時，軟語非麤獷，慈心不瞋恚，利益非損減，爲令如來法眼法燈久熾盛故。長老聽者，我當如法舉長老罪。彼若聽者便應如法如實舉之，彼若不聽，復應頂禮上座僧足恭敬白言：如是苾芻犯如是事，我依五法如實舉之。時僧眾中上座苾芻，應審觀察能舉所舉，及所犯事虛實輕重，依毘奈耶，及素怛纜，方便檢問，慰喻呵責，以七種法如應滅除，若犯重罪，應重治罰，若犯中罪，應中治罰，若犯輕罪，應輕治罰，令其慚愧懺悔所犯。」

他毀犯禁戒。佛禁止的戒，他犯了，但是他還在僧團裡跟大衆僧共住，那麼守規矩的、不犯戒的清淨比丘，他所行的持戒清淨皆悉具足，一切五德，無不圓滿。

這五德恐怕跟平常所說的五德不同。五德是結夏安居的日子，可以自咨舉罪。怎麼叫自咨舉罪呢？自咨就是隨意的意思，自咨就隨他人的意，也隨你自己的意，叫自咨。咨意，咨是就意字講，隨你自己的意，也隨他人的意見，那麼就互相舉發過錯。也就是安居的四月十五到七月十五結夏安居，安居圓滿，就懺過去的罪。這是指現生的，短期間的，一年結夏安居才一次。這一年之中，你有沒有作過什麼錯事？對大眾，你自己可以說你自己的，別人也可以揭發你的。這裡包括了見、聞、疑。連懷疑都可以說的，但是不成事實，不能懺罪。

一位比丘他有瞋恨心，說另一個比丘犯不淨行，但是，事實上，他舉什麼？他是看著公羊跟母羊在行不淨行，他說這個比丘也行不淨行。這種事情也算是事實嗎？這叫「所見非實，所舉也非實」，這叫懷疑，像這種的不算。雖然面對其他比丘公開懺悔，但是得看罪惡的大小。罪大的三個比丘，再大的十個比丘，懺悔清淨了，完了再好好的修行，這叫自咨。自咨，有自咨五德的，有自己說，對自己不礙、不愧、不怖、不疑。「自咨不自咨知之」，自己認為我這個罪，是不是眞正犯罪？我自己還不能知道，說出來讓大家給我證實一下。大家說，你這個不犯罪，那你就不犯。要是說你犯罪，你就懺悔，這叫「自五德」。

第二個，舉罪五德，也就是「他五德」。「知時」，你要知道什麼時候才可以舉比丘罪。知道什麼時候，也就是自咨於大衆僧懺悔的時候，這是時。平常，大衆僧聚會，你出來先請示，如果他當人承認了，你舉那個，他承認了，你可以舉。若是眞實的，若對他有利益，對自己有利益，對僧團有利益，要柔和善順的，還要有慈悲心，這叫五德，叫「自他五德」。那麼具足五德，自他五德都圓滿了。這樣的一位比丘，從他的座位起來，把衣服整理好，「恭敬頂禮苾芻僧足禮大衆」。這個時候，他又到破戒的苾芻前說：「我要舉你的罪，你許可不許可？」「作是言」，怎麼樣跟他說呢？說長者憶念，你得想一想，思惟想一想，憶念一下，我現在想要說你所犯的罪。

「我今欲舉長老所犯」，我說的可是事實，不是虛妄的，我現在這個時候是應時的，不是非時的，我現在跟你柔和、善順、輕語的說，不是麤獷的粗惡語，我沒有瞋恨心，我要使僧團清淨，使你清淨好修行，我是慈心的，不是瞋恚的，我是利益你，不是損減你的道德。爲令如來的正法眼藏，如來法燈永久熾盛於人間，是這樣子的，我來請你長老允許我說你的過。

「聽者」，如果前面比丘聽他說的是對的，許可他檢舉，那他就可以如法的來舉這個罪。要是那個人，被檢舉者，他不聽，不理他，說你所說的不對，我沒有犯錯。那他該怎麼辦呢？他就應當頂禮上座。

「上座」，或者優婆離，或者出家久的，也就是上座大德出家的、僧臘高的，主持這個法會的，就向上座頂禮，也要如是恭敬白陳。說如是比丘犯了如是罪，「我依五法如實舉之」，這個五法就指他前五重戒，波羅夷、僧殘、九十波夷提、乃至於三十三尼沙波夷提，也就是四法，再加上一個二不定。但是這二不定就不算了，可以取消。還有，百衆學法。這就依著戒條的戒文，必須如實舉之。

另一個五法是羯磨法，這是出家人的事。這個羯磨法，只能跟出家人說，不能跟在家人說。

另外五法就是大衆僧集合了，要唱。「舉籌」就像選票似的，你們贊成不？要舉他的過。如果有一個人不贊成，不能舉。還有很多法，這只是對出家人說的。那麼這個僧衆，上座比丘應當觀察，「能舉所舉」，能舉的人跟所舉的人，能舉的事跟所舉的事，跟所犯的事，是假的，是眞的，是虛的，是實的，是輕的，是重的。那麼再依照「毘奈耶」，也就是依照律藏，「素怛纜」就是經藏，依照佛所說的經，依佛說的戒律，方便就是善巧方便，就檢驗一下子。這個時候，又安慰他，又呵責他。

「以七種法，如應滅除」，也就是我們剛才說的七種法，憶念法、自咨法、自說法，乃至於最後他犯的大小過錯太多，如草伏地，就這樣對大衆懺。但是不是四根本，四根本就不行了，應重的就重治法，應輕的就輕治法。「令其慚愧懺悔所犯」，達到什麼目的呢？令破戒的比丘，一定要表示懺悔，以後再不作。大衆僧給他制裁，叫他拜懺，叫他面壁。禁足，不許他出去，這都是制裁的方法。看看當時的情況而定，現在這種法已經沒有辦法行了。而僧團的本身就不是那麼和合，現在就是你說他，他說你，僧團更混亂，只有依著經，自己去懺悔。像這樣作可以嗎？所以，優波離尊者又向佛請說。

「時優波離復白佛言：世尊！若實有過惡行苾芻，恃白衣力，或財寶力，或多聞力，或詞辯力，或弟子力，以如是等諸勢力故，陵拒僧眾上座苾芻，持素怛纜及毘奈耶、摩怛理迦者，如法教誨，皆不承順，如是苾芻，云何治罰？佛言：優波離！上座苾芻持三藏者，應和僧眾，遣使告白國王大臣，令助威力，然後如實依法治罰。時優波離復白佛言：世尊！若彼有過惡行苾芻，以財寶力，或多聞力，或詞辯力，或以種種巧方便力，令彼國王大臣歡喜，皆住破戒非法朋中，容縱如是惡苾芻罪，不聽如實依法治罰。爾時僧眾應當云何？佛言：優波離！若彼苾芻行無依行，於僧眾中麤重罪相未彰露者，是時僧眾應權捨置。若彼苾芻行無依行，於僧眾中麤重罪相已彰露者，是時僧眾應共和合，依法驅擯，令出佛法。優波離！譬如燕麥，在麥田中，芽莖枝葉，與麥相似，穢雜淨麥，乃至彼草，其穗未出，是時農夫應權捨置。穗既出已，是時農夫恐穢淨麥，并根翦拔，棄於田外。行無依行破戒苾芻亦復如是，恃白衣等種種勢力，住於僧中，威儀形相，與僧相似，穢雜清眾，乃至善神未相覺發，於僧眾中，麤重罪相未彰露者，是時僧眾應權捨置，若諸善神已相覺發，於僧眾中麤重罪相已彰露者，是時僧眾應共和合，依法驅擯，令出佛法。」

「摩怛理迦」是論藏，也就是三藏如法的教誨，皆不承受。無論僧眾怎麼教誨他，他也不接受，「如是苾芻，云何治罰」呢？像這種惡性的比丘，我們又應該怎麼辦呢？佛就告訴優波離尊者，「上座苾芻持三藏者」，精通經律論三藏的，「應和僧眾」，應該聯合整個大眾，在會大眾一體，派一個僧眾去向國王大臣說，希望國王大臣不要跟惡行比丘合作，要增長我們僧團的威力，然後如實依法制裁，就來治罰他。

優波離尊者又說，世尊，要是有過惡的、有惡行的這個苾芻，他有財寶力，買通了國王，買通了大臣，錢能通神，大家都知道，佛在世就有這種情形，不然怎麼會制戒呢？

「或有多聞力」，他聽得經多，辯才又很有詞辯力，詞辯力就是辯才無礙。他有罪，說成無罪，把黑的硬說成白的，這種人也有，他還會舉經舉論，也有。「或以種種方便力」，想種種的方法破壞僧團，讓你治不了罪。或者是他令彼國王大臣歡喜，以種種的方法向國王大臣行賄，或者顛倒黑白。這些國王大臣都是破戒比丘的羽黨，他是他的朋友，住在他那一黨當中。縱容如是的苾芻罪，那國王大臣不會幫助清淨僧衆的。「爾時僧衆應當云何？」到了這個時候，我們又怎麼處理呢？

「佛言：優波離！若彼苾芻行無依行，」「無依行」，那是不生功德，不生善法，不依佛所教的道去行，這叫無依行。但是「於僧衆之中」，他犯的，不論麤罪、重罪乃至輕罪，還未有顯露，不是公開的，不是大家都知道的，還有未顯露的。這個時候，僧衆應當權巧方便，暫時不理他，「捨置」就是不問他，沒有辦法，把他捨置不問。「若彼苾芻行無依行，於僧衆中麤重罪相，已彰露者」，在僧團之中，大家都知道了，那時候僧衆應當依法，依照我所教法，驅擯他，把他擯出僧團之外，令他出離佛法。

佛又跟優波離說，譬如燕麥，燕麥是麥子裡頭不結子的麥子。它在麥田裡，它的芽梗枝葉跟好麥子是一樣的，你分不清楚，只是它沒有顆粒，沒有結子。「雜穢淨麥」，雜染跟清淨的混雜在一起。但是這個時候它還是小苗，「彼草」，它的穗未結子之前，你還斷不定它是燕麥。你處理它，別人還不承認，等那個穗已經長出來了，它就不是麥子。它當然沒有穗，沒有糧食，沒結果實。那時的農夫，才把它拔出來丟棄了，那時候剛初出芽時，農夫也辨別不出來，等它的穗長出來了，斷定它沒有結果實，那麼農夫就把燕麥子連根拔除，棄於田外，丟到田外。行無依法的破戒比丘亦復如是。他仗恃白衣種種勢力，住於僧中，威儀形相，跟僧還是一樣相似的。

「穢雜清衆」，使這個清衆大衆僧中污穢，不能清淨。同時，善神也沒有發覺出來，善神沒有檢舉，護法神沒有檢舉，於這個僧中麤重的罪相，還未彰露。這個時候，僧衆就不要理他，把他捨置。善神已經發覺了，護法神已經發覺，於僧中麤重罪相已經彰露，這個時候僧衆應共和合依法驅擯，令他驅出佛法僧團之外。

「優波離！譬如大海，不宿死尸，我聲聞僧諸弟子眾亦復如是，不與破戒惡行苾芻死尸共住。時優波離復白佛言：世尊！若彼破戒惡行苾芻，僧眾和合共驅擯已，彼惡苾芻，以財寶力，或多聞力，或詞辯力，或以種種巧方便力，令彼國王大臣歡喜，皆住破戒非法朋中，以威勢力陵逼僧眾，還令如是破戒苾芻與僧共住，爾時僧眾當復云何？佛言：優波離！爾時僧中有能悔愧持戒苾芻，爲護戒故，不應瞋罵破戒苾芻，但應告白國王大臣，或恐陵逼而不告白，應捨本居，別往餘處。」

你要是跳到海裡死了，海水一定用浪把你把沖回到岸上，海裡是不留死尸的。「我聲聞僧諸弟子衆亦復如是，不與破戒惡行苾芻死尸共住」，絕不跟他共住在一起。

「時優波離復白佛言，世尊，若彼破戒惡行苾芻，僧衆和合共驅擯已，彼惡苾芻，以財寶力，或多聞力，或詞辯力，或以種種巧方便力，令彼國王大臣歡喜。」國王大臣皆住到破戒的比丘一邊，爲法朋黨之中，以威勢力，陵逼僧衆，令如是苾芻與僧共住。過去，在印度的國王，這種事很多。所以，就把和合僧分成兩衆，破戒的比丘還是有贊成他的，像懈怠放逸的比丘就跟他共住。所以佛在世的時候，僧衆分裂，就有這種現象。

那又怎麼辦呢？擯了，他不走，他在僧中住。「佛言：優波離！爾時僧中有能悔愧持戒苾芻，爲護戒故，不應瞋罵破戒苾芻，但應告白國王大臣，或恐陵逼而不告白，應捨本居，別往餘處。」這就分裂了，怎麼辦呢？處理的方法就是好的比丘走開，自己另外找地方住，你惹不起他，躲吧！就是這個涵義，還不准制罰他，這說明了國王的善信，那時候爲惡勢力所圍繞。

提婆達多跟阿闍世王，他要奪王位，就讓他去奪阿闍世王的父王的位子。他說：「你當皇帝，我來當佛。」佛在世的時候，這種事就發生了。而且，他又很惡，有勢力，他是阿難的哥哥，也是王族。所以，他以種種的方式害佛，在山頂上，用石頭砸佛，砸佛沒有砸到，反而把佛腳砸出血，出佛身血。當時，大地就裂開，把提婆達多給攝進去，身陷地獄。破壞和合僧團的，也如是。

「爾時地藏菩薩摩訶薩復白佛言：大德世尊！頗有佛土五濁惡世空無佛時，其中眾生煩惱熾盛，習諸惡行，愚癡很戾，難可化導，謂刹帝利旃荼羅，宰官旃荼羅，居士旃荼羅，長者旃荼羅，婆羅門旃荼羅，如是等人，善根微少，無有信心，諂曲愚癡，懷聰明慢，不見不畏後世苦果，離善知識，乃至趣向無間地獄。」

在優波離問完之後，地藏菩薩就從座而起，向佛說，大德世尊，在末法的時候有很多的佛國土，不只我們這個佛國土，「頗有佛土」，那就不只是娑婆世界，其他的無量世界、無邊世界當中，有的佛國土，也示現五濁惡世的。五濁惡世，劫濁、見濁、煩惱濁、衆生濁、命濁，這是五濁。這個時代，很不清淨的。也就是這個世間的時候，很惡，又沒有佛，空無佛世，前佛已過，後佛還未降生。這個時候，這個世界的衆生，佛土的衆生，煩惱重的不得了。

「熾盛」，很強盛，就像大火那樣子。好事不作，惡行，人人都去學習。像對五欲境界，爭相學習殺盜淫妄。現在就是這樣，你可以拿佛經對照一下。愚癡，也就是瞋恨心很重，無明很重，非常的狠，戾是兇暴的意思，這個

「很」字，應當拿筆鉤一下，這凶狠的「狠」是犬字旁的，這個「很」不好化導，剛強難調難伏。

有的是惡帝王，剎帝利，那國王是旃荼羅，是惡人，旃荼羅就是代表惡的意思。也有宰官的旃荼羅，「惡官」，有惡國王就有惡官。這個居士不是受三歸五戒的居士，居家的人就是在家人。居家士旃荼羅，長者旃荼羅，長者不是十善的？有時候，長者有財有富，有大威力，他也變成惡人，長者之中的惡人，惡長者，婆羅門旃荼羅如是等人，善根微少，沒有信心，諂曲愚癡，曲者不直，其心不直，諂媚不直。

你看那個人，對他的長官，對他的上級，諂媚得不得了。在長官的辦公室，他彎腰屈膝，站得畢恭畢敬的，一回到自己的辦公室，他對待屬下一定是驕慢的。上諂者下必驕。這人沒有智慧，是愚癡的人。但是他仗著自己的聰明，很會逢迎。奸相、奸臣，人很聰明，他作壞事，非常的聰明，因為他作壞事很聰明，他就驕慢，看誰都不如他。但是他對未來的苦果，將來受報的苦果，他見不到，也不生恐懼，也不相信。如果我們跟他講善惡業報，講未來如何，他根本不相信，他只看見活人受罪，沒看見死人扛枷。

我就遇見一個很惡的人，他現在也老了，過去是當劊子手的。現在改成用槍斃的，他就沒有職業了，現在很老，很窮，很苦。他還是改不了那個習慣，我也跟他聊過天，我勸他信佛。我說：「你可以改善未來的惡果。」他說：「我哪會信你這一套。」不信就算了，我也跟他談談話，他向我講，他的刀不是像我們所想像的，以爲殺人一定是用很大的刀，不是的，他的刀很小，就像水果刀那樣子，但是很鋒利，很薄。他殺人的時候，不是像我們起狠式就去砍的，並不是這樣子。他的刀是放在他的衣服袖筒裡，到了殺你的時候，把這衣服往你脖梗子一按，腦殼就落了，非常的鋒利，很薄。他看見人，不論他的媽媽、他的爸爸、他的親人，他會看看他們的後腦勺，在哪個地方下刀，他專門看那個刀縫。他看到一個人，這個骨節有刀縫，有個空間，除了那層皮之外，他就在那一挫，就像那宰牛的，一頭牛，他卸的很快，他把骨縫找得很好。這種惡人，心裡儘想的是惡事，他只知對他有利益的事就好了。

在這個社會上，我們每個人也受害過，你害過人？也許害過人。在利益關係上，完全未害過人的人，我想還是少數。眞正要是有這種人，眞的是菩薩。在這五濁惡世，我們不要以爲這個時候不好，在這個時候，你能夠三歸五戒，你心裡向善，比你在清淨的世界，也就是這個世界有佛的時候，比他行了十年、百年、千年的功德還大。因爲這個時候不可能行善了，沒有力量去行善，沒有力量去衝破現實的環境。

所以，你要是不作惡，你就受作惡的一切攻擊、壓迫你。你處處受到制約，換句話說，你處處倒霉。我們說，護法神會保護你，有時候護法神的力量也不足夠。爲什麼呢？惡鬼、惡神比護法神的力量還要大。人間還沒有亂，天上先亂。阿修羅先跟天人打，恐怕此時的天人也在打仗，惡人的勢力就增強了。所以像這種的後世苦果，離開善知識，趣向無間地獄。

「如是等人爲財利故，與諸破戒惡行苾芻，相助共爲非法朋黨，皆定趣向無間地獄。若有是處，我當住彼，以佛世尊如來法王，利益安樂一切有情。無上微妙甘露法味，方便化導，令得受行，拔濟如是刹帝利旃荼羅，乃至婆羅門旃荼羅，令不趣向無間地獄。」

這就是地藏菩薩的發願，這是《十輪經》的重點。地藏菩薩先向佛表白說，在這個末法五濁惡世的時候，沒佛時，衆生的煩惱太盛了。人也有惡的，國王也惡，宰官也惡，人民也惡，乃至於標榜是長者，他也是惡長者，婆羅門的學者也惡，也都是旃陀羅。像這些人，善根沒有了，又沒有信心，又不至心，又不畏後苦果，《占察善惡業報經》對他們來講，是沒有多大的作用，他不信，有什麼作用呢？

「皆定趣向無間地獄」。爲什麼？他爲了利，像這種的還不是爲名，專爲利。爲名的人，他還好一點，要顧面子，要保持好名聲。貪財利的人，一切都不管。這些壞人又跟這個破戒的惡行比丘交織在一起，還會假檢舉，這類人哪裡都有，你在佛教界裡頭，在和尚界裡頭也有，趨炎附勢的也有。當初出家的時候，思想有問題，並不是清淨出家的。也有師父收他，就是建立在財利的關係上。有些廟爲了保存自己，要害別人，不害別人，保存不了自己，害別人才保存自己，但實際上，你念經、念佛、禮拜、持誦也能夠保護你，善法護法神就是保護你的。

不過，現在，連善法神也保護不了，惡神太多了。所以地藏菩薩就發這個願，要是有那個地方，我一定去，「我當往彼」，就把佛法如來的法王的法，安樂這一切有情，使他們得到無上微妙的甘露法味，方便的化導，令他們能夠受行，不趣向無間地獄。

我們說《十輪經》的目的，就是說明地藏菩薩功力之大，他專門度這些不能教化的眾生，就要下地獄的時候，去教化他。等他到那裡去受苦的時候，或能轉變一下。不過，這也很難說。

我在北京的時候，有一位老和尚，他在街上看見一個老太太牽著一個小孫子，祖孫二人要飯，他看著就發起可憐心。但是他也是還俗了。不過，在我們講，他還是叫老和尚，他自己有個住處，住處很寬大，他跟這老婆婆說：「你讓你這小孫子跟我出家，你也來當淨人，我們一塊兒住，何必要飯呢？」這不是好意嗎？那老婆婆就發火說：「我們討口子，已經倒霉到了頂點，還去當和尙！」他向我說：「法師！現在的人眞的沒有辦法！」我說：「怎麼呀？」「像我想讓她們安居樂業，跟我一塊生活不是很好？」她卻說，她已經夠倒霉了，還要當和尙？還說，當和尙比那個討口還倒霉。他就對我說：「你還是不要當法師，不要回到廟裡。」我說：「我還要當犯人！我還沒有完全恢復！」他說：「算了，將來要是恢復的時候，不要再當和尙了！」唉！眞是可憐，如果那樣子，佛法就沒有人說了。你說這個社會惡不惡？惡到把和尙看成這樣子。

「爾時佛告地藏菩薩摩訶薩言：善男子！於未來世，此佛土中，有諸眾生煩惱熾盛，習諸惡行，愚癡很戾，難可化導，謂剎帝利旃荼羅，宰官旃荼羅，居士旃荼羅，長者旃荼羅，沙門旃荼羅，婆羅門旃荼羅，如是等人，善根微少，無有信心，諂曲愚癡，懷聰明慢，離善知識，言無眞實，不能隨順善知識語，常行誹謗，毀呰罵詈，於諸正法猶豫倒見，不見不畏後世苦果，常樂習近諸惡律儀，好行殺生，乃至邪見，欺誑世間，自他俱損。是剎帝利旃荼羅，乃至婆羅門旃荼羅，壞亂我法，於我法中而得出家，毀破禁戒，樂營俗業，彼剎帝利，乃至婆羅門等，恭敬供養，貪利求財，有言無行，傳書送印，通信往來，商買販易，好習外典，種植營農，藏貯寶物，守護園宅，妻妾男女，習行符印，呪術使鬼，占相吉凶，合和湯藥，療病求財，以自活命，貪著飲食衣服寶飾，勤營俗務，毀犯尸羅，行諸惡法，貝音狗行，實非沙門自稱沙門，實非梵行自稱梵行。彼剎帝利旃荼羅，乃至婆羅門旃荼羅，愛樂親近，恭敬供養，聽受言教，此破戒者，於剎帝利旃荼羅，乃至婆羅門旃荼羅，亦樂親近恭敬供養聽受言教。若見有人，於我法中，得出家已，具戒富德，精進修行學無學行，乃至證得最後極果，彼剎帝利旃荼羅，乃至婆羅門旃荼羅，反生憎嫉，不樂親近恭敬供養聽受言教。」

正法好像是毀滅了，衆生的懷疑心特別重，顛倒知見特別嚴重，甚至入了佛門，他還生起顛倒見，還去信那些邪魔外道。這是因爲他在佛法之中，在佛教當中，沒有得到任何的好處，我想大家也許有這個懷疑。他信佛很久了，沒有什麼收穫，因爲他有求得之心。求什麼呢？佛菩薩保佑我發財，佛菩薩保佑我家平安，佛菩薩保佑我家人都平安無病，任何的災難都不要降到我的頭上。那麼，我要作什麼生意，作什麼事都要發財，乃至於我要害人，也要幫助我，可以害到他。

這些事，我都遇到過。他說：「能不能幫我？」我說：「幹什麼？」他說：「那小子特壞，我非得整他不可。」我說：「我不能幫助你，我一幫你，他會把我殺掉，我怎麼幫助你呀？」很多人誤解佛法，佛法就是見解的問題，你必需認識清楚佛法是什麼？佛法就是你自己的心法，你要覺悟，就是你，你自己就是自己。自己認識自己，不要顚倒知見，這才是眞正的正知正見。

說話要正語，作事要正行，身語意，正見、正語、正意，都要正，一切都要正，不要顚倒。要相信你今生作一點點害人的事，以後要十倍償還，還要加上利息。花報、果報、餘報，像你經常的害病，這是你殺生殺得太重，你要還命債，還命還不夠，還要有利息，還要受餘報。

你的身體不健康，這是果。隨便你找什麼醫生，找阿彌陀佛、找釋迦牟尼佛、找藥師佛，他們這些醫生差不多都可以治好你的病。你找世間的醫生，是治不好的，要你從因果報應上治，像這樣欺騙世間，自己害自己，自他俱損。所以剎帝利旃荼羅乃至於婆羅門旃荼羅，「壞亂我法」，就把佛法給破壞了。

這些旃荼羅，是有權力的、有勢力的、有財富的人，他是怎麼壞得了？他勾結沙門，勾結沙門就壞了。所以《大般涅槃經》上，佛涅槃的時候，魔王波旬來了，那時候佛還沒有決定涅槃，還在看眾生的根機。如果那時阿難在波旬之前，請佛住世，那就沒有事。阿難在波旬之後才來了，就不行了。波旬先來，他就跟佛說：「世尊！你該走了。你把我的魔子魔孫度了好多，我將來還要破壞你。」佛就問：「你怎麼破壞我？」他就說了怎麼破壞佛法，那麼破壞佛法，佛都笑說：「你破壞不了。」他又說：「我還有一個最好的方法。我要我的魔子魔孫都去當你的出家人，當比丘、比丘尼，吃你的飯、穿你的衣服，不作你的事，這就破壞了。」

物必先腐而後蟲生，它先從內部腐爛，而後蟲才生，一切東西都是這樣。所以，外人破壞佛法破壞不了。那麼，和尚比丘尼穿和尚衣服，作壞事，別人一看見，這是出家人，佛法就是這樣子，你看見沒有？誰還信，他就破壞了。你要知道這壞和尚、那壞比丘尼，都是魔子魔孫來的，這是有預言的。但是恭敬、供養這些惡的剎帝利，惡的婆羅門，乃至於一切前面所說的惡居士，他們並不是眞正的善信，是顚倒見。他供養那個貪財求利的，只有言說而不去作的。甚至於傳書送信的，通信往來的，販賣商賈的，好習外典的，種種營農藏貯寶物，守護園宅。

大家看日本和尚就是這樣，中國和尚現在也有這樣情形。他們都幹些什麼呢？妻妾男女，劃符，劃印，說我這個印是哪個時代的，那在西藏很多。而他眞正的是有，他這是假的佛印。像六字大明神咒的印，或者像色拉寺保留的緣度母往生被，要是死了，給那人蓋在身上，這人就不會墮三惡道，起碼生天，或者往生。

在西藏賣一張往生被是很貴的，想請到一張，很不容易的。託好多人化很多錢，才買到一張，那還要歸幹部保管的，一年印不到幾張。我到西藏入那個廟，得有個擔保的師父，我就認他爲羯磨師父，還買了五匹綾子，我一次印了五百張，還拿去結緣。他跟我說：「結緣不能收人一分錢，要是收一分錢，我們都得下地獄。」結緣可以，不爲求利，專爲利益衆生，還是可以通融的。一切事物，都可以通融。所以這些有利可圖、通融的，我們跟地藏菩薩，通融通融，也是可以通融的。

那麼地藏菩薩，念他的名號，學習他的《十輪經》，念《地藏經》，這也就是跟他通融，但是這是善法的通融，不是惡法的通融。那個時候，通訊往來，學外典，搞販賣，經營商業，現在日本寺廟都是公司，中國寺廟現在也這樣學習。恐怕大陸上快學習好了，已經開始這樣作了。自力更生，你作生意，政府鼓勵，現在還要門票，進寺廟去，我們燒香禮佛，那得拿錢來買，得買門票。

我去南普陀寺，一毛錢，我們現在回去，就是一塊錢，未來還要漲到五塊錢。需要門票，不然五百多人的生活拿什麼？得靠那門票。你朝佛、禮拜、燒香也得花錢，也得買，這是沒有辦法的，這叫末法。

還有劃咒，驅使鬼神，占相吉凶。還有賣藥，合和湯藥，賣假藥就糟糕了，賣眞藥還好一點。現在賣假藥的很多，特別是山裡的，說是我這是福建武夷山的，哪個廟裡頭製的，哪個老和尚製的。得了，這就值錢了。有很多這種事，「以自活命，貪著飲食衣服寶飾，勤營俗務，毀犯尸羅。」「尸羅」，就是戒。

佛所制定的不許作的事情，他們都作了，犯了，最主要的是四種清淨明誨，也就是四根本戒。那麼，四根本戒都可以犯，別的錯誤更多，身的殺盜淫，口的兩舌、妄言、綺語、惡口，乃至意的貪、瞋、癡，這些都可以作，這叫行惡行。

「貝音狗行」是一個學習狗的方法。末世的比丘相互誹謗，彼此猜疑嫉妒，沈溺於無益之中而不能自拔。以狗來譬喻，「彼之行此法，謂之行狗法」，也就是貝音狗行，行狗的方法。這樣作的時候，他已經失掉沙門的體，犯了四根本戒，不是沙門，不論在義上、在體上，失掉沙門。但是他自己不肯懺悔，如果他自己不能夠遵守，是可以退戒的，感覺到對自己不適合，你可以退。但又不退，還在僧衆之中混，退戒就是罷道還俗。爲什麼他要這樣作呢？他退了，就沒有地方找飯吃。在寺廟裡頭，僧衆很多，總會有德者，有德者感應來的衣食住行，他要去享受。所以像這一類的，他實行狗的方法，所以說「貝音狗行」。

他自己所作的不是清淨行，梵行是指淨行的意思，自己作的是污染行，他還自稱爲是梵行。這是形容像這一類破戒的比丘，還是有一類信仰他的人。如果惡的剎帝利王，凡是加個「旃荼羅」，都是屬於惡人的意思，上面再加個旃荼羅，就是惡的國王、惡的婆羅門，他很願意親近這類破戒比丘。這就是所謂的「方以類聚，物以群分。」臭氣相投，還要親近他，跟他結爲朋黨，作爲朋友。恭敬供養，所謂恭敬供養者，就是恭敬、供養這些破戒的比丘。「聽受言教」，對於不行梵行的人，所說的話，也就是語言，他願意聽，願意受他的教化。

這個破戒者，對於剎帝利旃荼羅，乃至婆羅門旃荼羅，他們樂於親近供養，聽受言教的。要是見到有人，「於我法中」，「於我法」就是於佛法之中，出了家，受具足戒，前面說是壞比丘，這兒說的是好比丘，出家以後，受戒之後，能夠遵守，能夠持戒。「富德」，道德很豐富的，富有的德，就是具足戒的德。又能夠精進的行，學行就是修行，學是學法，就是有學位的，無學行，乃至於證得阿羅漢果。從初果算起，證果的聖人，他不像我們一樣的學，他學的是無學，乃至於最後證得佛果。

但是這個說的可能是阿羅漢果，從初果到四果。這是什麼意思呢？這是說剎帝利旃荼羅、婆羅旃荼羅，他對於惡行的比丘，親近供養，聽受他的言教，對於有道德的比丘，不但不親近不供養，反而憎嫉。憎是憎厭，嫉是嫉妒，就是不樂於親近，也不樂於恭敬供養，也不聽受這個有道德的，乃至證果的這些比丘，他不親近，不接受他的言教。

「善男子，譬如有人，入寶洲渚，棄捨種種帝青、大青、金、銀、眞珠、紅蓮華色吠琉璃等大價眞寶，取迦遮珠，於未來世，此佛土中，有剎帝利旃荼羅，乃至婆羅門旃荼羅，亦復如是。入我正法寶洲渚中，棄捨種種具戒富德、樂勝義諦、具足慚愧學無學人及善異生，精勤修學六到彼岸，具諸功德眞聖弟子，取諸破戒，好行眾惡，無慚無愧，言辭麤獷，身心憍傲，離諸白法，無慈無悲惡行苾芻以爲福田，恭敬供養聽受言教，如是惡人，師及弟子，俱定趣向無間地獄。」

迦遮珠也是一種摩尼珠，但是比起吠琉璃就差多了，也就是次一等的。好的，他不取，他取次的，這是佛作譬喻，說在末法的時候，我這個佛國土，有的是刹帝利的惡王，有的是婆羅門的旃荼羅，惡婆羅門，亦是這樣的。對於有道德的比丘，他不信不親近，不聽受言教。對於破戒惡行的比丘，跟他臭味相投，還要向他求，聽他的言教。

到了我的正法寶渚之中，卻棄捨了種種具戒的富德，棄捨樂勝義諦的，勝義諦就是實相義。《占察善惡業報經》，那個實相境界，就是勝義諦，最殊勝的義理。也棄捨具足慚愧「學無學人」，學人就是還未證果位的，無學人是已經證得果位的。「及善異生」，就是善的補特伽羅。乃至於也棄捨優婆塞優婆夷，眞正修行，眞正信仰正法的，恭敬正法的。乃至於棄捨精勤修學六到彼岸，就是行六度波羅蜜的，具足功德眞聖的弟子，這是眞弟子。

「眞聖」是指佛說，就是眞正佛的弟子，他都不親近，反而「取諸破戒，好行衆惡，無慚無愧，言辭麤獷，身心憍傲，離諸白法，無慈無悲，惡行苾芻以爲福田。」這樣會得到什麼結果？「如是惡人，師及弟子，俱定趣向無間地獄。」你受他的言教，信仰他，你就跟他一同下地獄，這是決定無疑的。那就產生一種邪知邪見，在當前的末法時代，眞正不少，如果大家依照教典來用你的智慧，用你的正知正見，你可以分辨出來。

這對現在是非常的具體，也很現實。但是你可以用佛所教導的法來判斷，不依自己的意見，以佛的教典，以佛的法爲師，不以自己的心爲師。你可以看得出來，哪些是引導你下地獄的，他也作佛事，他把佛事歪曲了，用顚倒見作佛事。佛的法本來是明心見性的好方法，他拿佛法來作名利，作生意交易，那不下地獄嗎？所以，佛說了十種輪，這十種可不是善輪，而是惡輪。

「善男子！有十惡輪，於未來世此佛土中，有剎帝利旃荼羅，宰官旃荼羅，居士旃荼羅，長者旃荼羅，沙門旃荼羅，婆羅門旃荼羅，如是等人，於十惡輪，或隨成一，或具成就，先所修集一切善根，摧壞燒滅，皆爲灰燼。不久便當肢體廢缺，於多日夜結舌不言，受諸苦毒，痛切難忍，命終定生無間地獄。」

前面那惡行比丘，破戒的比丘，婆羅門旃荼羅，「如是等人」，從一般的國王，到百姓，到平民，乃至到出家人，乃至到學者，都包括在內，有這麼一批人，以下說的這十惡輪。「或隨成一，或具成就」，具足一輪，或者具足兩輪，或者具足三輪不一定，或者僅有一輪。他把他前生多生累劫所修的善根，積的善根，都摧壞了，都燒滅了。十輪如果成就一個，就把他多生累劫所有的善根，所行的善念都化爲灰燼了。

因此，我們感覺到只種善根，只學習佛法，並沒有眞正的斷煩惱。到了未來，你可能也會走到這十惡輪裡頭。因爲一轉世了，如果你沒有修得宿命通，容易為名利、愛欲所纏縛，容易墮到十惡輪。

我們學過《十輪經》，學過《地藏經》，讀誦《地藏經》，乃至於讀《大集十輪經》，乃至於得到地藏菩薩加持，使我們今生能夠有這樣的善根，有這樣的因緣。跟地藏菩薩結了緣，我們不會墮十惡輪，因為這是地藏菩薩向釋迦牟尼佛保證的。我們讀《地藏經》就可以體會到，體會那些大菩薩，凡是在《地藏經》出現的菩薩，乃至《地藏經》的第九品的，〈佛名號品〉，我們隨持一個名號，永遠不墮三塗的。

我們要堅固建立這樣一個信心。十惡輪跟我們沒有關係，我們不會墮落的。什麼原因呢？地藏菩薩的加持力，也就是地藏菩薩會加持我們，使我們不墮惡輪，乃至於在末法，有一微塵，那麼一點，親近佛門的，入了佛門的事情，地藏菩薩一定加持你。但是你如果拒絕他的加持，乃至於跟他掛不上鉤，那就是另外的一回事情。

「不久便當肢體廢缺」，就是指現生。「於多日夜結舌不言」，不能說話，六根已經喪失作用了。「受諸苦毒」，這種苦連說都說不出來。我們看見很多人被汽車撞了，之後變成植物人。我以前認爲植物人可能沒有很多，但是一九九三年，我到台灣，去榮總醫院、林口長庚醫院，我才看到醫院裡的植物人太多了。因此，上面的寫照就是指那些人。受了苦毒，身上爛了，說也說不出來，那比什麼都廢缺，都厲害。他的腦子廢缺了，變成植物人。或者他今生的業，或者前生的業，痛切難忍，還不用說他死後，就是現在他活著的時候，痛切難忍，受到肢體的殘缺。具足十惡輪的，一定生無間地獄。

「何等爲十？如是破戒惡行苾芻，有刹帝利及宰官等，忍受惡見，謗阿練若清淨苾芻言：諸仁者！如是苾芻愚癡凡猥，詐現異相，誑惑世間，爲求飲食衣服利養恭敬名譽，自讚毀他，嫉妒鬥亂，貪著名利，無有厭足，應當擯黜，勿受其言。如是苾芻專行妄語，離諦實法，於此皆無得道果者，亦無離欲永盡諸漏，但爲利養恭敬名譽，住阿練若，自現有德，愼莫供養恭敬承事，如是諂曲，非眞福田，非行道者。時刹帝利旃荼羅，乃至婆羅門旃荼羅，於阿練若清淨苾芻，不能生實信心希有之想，心無恭敬，意懷陵懱，不樂親近承事供養，所有言說，皆不聽受。輕毀如是住阿練若清淨苾芻，即是輕毀一切法眼三寶種性。」

以下就逐一的說明十惡輪。「如是破戒惡行苾芻，有剎帝利及宰官等，忍受惡見」，對於惡行比丘這個惡見，這個剎帝利宰官旃荼羅，他們是忍受的，也就是信他的，聽他的，乃至於跟他共同作惡。作什麼惡呢？「謗阿練若清淨苾芻言」，謗這個清淨的比丘。阿練若，在寂靜處，山林，棕櫚樹下，以現在的話說，就是在山林裡頭修，自己清修。他會謗毀他們，他說些什麼言語呢？惡行比丘對剎帝利宰官說，那些住山林都是很愚癡的。他現的其他相，故意的表現他的修行，他是欺騙人，「誑惑世間」的，「為求飲食衣服利養恭敬名譽，自讚毀他，嫉妒鬥亂，貪著名利，無有厭足，應當擯黜，勿受其言。」

這是惡行比丘說清淨比丘。這一段話就是他謗毀的言詞：「如是苾芻專行妄語，離諦實法，於此皆無得道果者，亦無離欲永盡諸漏，但為利養恭敬名譽，住阿練若。」說他們實際上沒有得到道果，也沒有離欲，也沒有盡諸漏，只是爲了利養恭敬名譽，他們是爲了這些，才住到清淨處寂靜處的。「自現有德，愼莫供養恭敬承事，如是諂曲，非眞福田，非行道者」，這是惡行比丘謗毀清淨比丘的一段言詞。

「時刹帝利旃荼羅，乃至婆羅門旃荼羅，於阿練若清淨苾芻，不能生實信心希有之想」，他對這好的比丘生不起眞正的誠信。希有難找，難當善知識那樣想，所以他沒有恭敬心，心懷陵懱。陵者是欺陵，我們說是盛氣陵人，就是那些涵義，懱視他。

輕毀如是住阿練若的清淨苾芻，即是輕毀了一切法眼三寶種性。這樣一說之後，這個惡行的比丘謗毀清淨比丘，取得了這些刹帝利乃至於婆羅門這些惡人跟他共同的謗毀。這產生什麼效果呢？因爲他已經毀滅三寶種性了。

法眼，眼者是觀察之義，沒有法了，把清淨法毀滅了，那些衆生所作都是惡的，沒有正法眼，就顚倒了。把善說成惡，把他自己所作的惡，反而變成善。這樣會得到什麼結果呢？

「時彼國中有諸天龍藥叉神等，信敬三寶無動壞者，於刹帝利旃荼羅王，乃至沙門婆羅門等旃荼羅人，心生瞋忿，互相謂言：仁等！當觀此剎帝利宰官居士長者沙門婆羅門等旃荼羅人，皆悉輕毀一切法眼三寶種性，損減善根，由惡友力，攝諸罪業，當墮惡趣，我等從今勿復擁護此剎帝利旃荼羅等，并其所居國土城邑。作是語已，一切天龍藥叉神等皆悉棄捨，不復擁護彼剎帝利旃荼羅等，并彼所居國王城邑，於彼國土一切法器眞實福田皆出其國，設有住者亦生捨心，不復護念，由諸天龍藥叉神等，及諸法器眞實福田，於剎帝利旃荼羅等，并彼所居國土城邑，皆捨守護不護念已。時彼國土，自軍他軍，競起侵陵，更相殘害，疾疫飢饉，因此復興，彼剎帝利旃荼羅王，乃至沙門婆羅門等旃荼羅人，一切國民，皆無歡樂。先所愛樂今悉別離，朋友眷屬更相瞋恨，潛謀猜貳，無慈無悲，嫉妒慳貪，眾惡皆起。所謂殺生，乃至邪見，無慚無愧，食用一切窣堵波物，及僧祇物，曾無悔心。彼剎帝利旃荼羅王憎嫉忠賢，愛樂諂佞，令己官庶互相侵陵，憤恚結怨，興諸鬥諍，共餘鄰國交陣戰時，軍士離心，無不退敗，彼剎帝利旃荼羅王，宰官居士長者沙門婆羅門等旃荼羅人，不久便當肢體廢缺，於多日夜結舌不言，受諸苦毒，痛切難忍，命終定生無間地獄。」

這些護法善神起了瞋恨心。「互相謂言」，是神跟神互相說：「仁等！當觀此剎帝利、宰官居士、長者沙門，婆羅門旃荼羅人」，說現在這個國土裡頭，從他的國王，乃至到他的宰官居士、長者，甚至於出家人，婆羅門，這些都是旃荼羅。旃荼羅就是惡人，惡人行惡法，他們就謗毀三寶，一切法眼三寶種性，損減善根，而這個國土的人沒有善根，由惡友力，攝諸罪業。由這惡力的力量來造這一切的惡業。「當墮惡趣」，一定墮三塗。

「我等從今勿復擁護此剎帝利旃荼羅等，并其所居國土城邑。作是語已，一切天龍藥叉神等皆悉棄捨。」好神離開這個國土，就剩下惡羅剎夜叉。以後這個國土就不吉祥了，這些護法善神不再擁護。「設有住者亦生捨心」，或者是有少數還住著未走，對他不護持，心生捨心。那不只是神，就是我們出家人，可以看到這個社會的現象。

我記得，西藏在一九四七年、一九四八年、一九四九年這三年當中，有道德的人、有修爲的人，差不多都往生了，也不能說生極樂世界，他們自己修法就離開這個世界了。我記得我的上師夏巴仁波切跟我說：「你能回大陸就回大陸去，西藏不是善地。」在那個時候，他就這樣預言。所以就說那個地方，善神離開了，有德者離開了，剩下就是惡的。

那時候，我們從現象來看，比丘差不多就是惡行的比丘，每個人具足三件武器，一把大長刀，一把短槍，還有第二次大戰在印度買的長槍。每一位喇嘛都有三枝，一枝槍，一個大刀，一個短槍。你說他是喇嘛還是土匪？很難說的。或者哲蚌寺或者色拉寺打起來了，武器還很精銳的，西藏政府都沒有辦法。那些上師看到這些現象，他們都走了。這就跟這裡所說的境界一樣，他心裡頭已經不護持這個地方，捨心就不復護念。

而善良的比丘，於刹帝利旃荼羅等，并彼所居國土城邑，皆捨守護，不護念已。不再護念了之後，「時彼國土，自軍他軍，競起侵陵。」自軍就是本國的軍隊跟本國軍隊打，像中國大陸，共產黨軍跟國民黨軍打，打了好多年。完了，「他軍」，日本人就侵略我們的國家。「他軍」，人家打完了，自軍又打，更相殘害，乃至於疾疫飢饉。還有，水火之災。「復興」，是指這災害復興。「彼刹帝利旃荼羅王，乃至沙門婆羅門等旃荼羅人，一切國民，皆無歡樂。」歡樂不起來！「先所愛樂今悉別離」，過去所享受的，所喜歡的，那些快樂的景象，沒有了，都離開了。

「朋友眷屬更相瞋恨」，自己的親人跟自己的親人互相的瞋恨惱害，這個不需要解釋，不但台灣多，大陸也多，你天天都可以看到，像我們看選舉也在打。「無慚無愧」，那時候「嫉妒慳貪，衆惡皆起」，所造的都是惡業，乃至殺業邪見，「無慚無愧」，邪見包括很多。

我們舉個最簡單的例子。當他吃別的衆生時候，他說那個衆生生下來就是給他吃的，這叫邪見。什麼是豬羊一道菜？豬羊生來就給人吃的，那麼雞生來也吃給人吃的？那麼，人生來也就是給狼吃的，給老虎吃的？他才不會這樣想，也不會這樣說，這叫邪見。邪知邪見，無慚無愧，甚至於寺廟的錢，他都要搶來花，他不怕下無間地獄，所有寺廟的錢，他都搶來用。僧祇物，就是大衆僧的寺廟裡的供養東西，他都搶去用，一點悔改之心也沒有。

這些人，「彼剎帝利旃荼羅王憎嫉忠賢」，憎嫉好人，諂媚奸佞。「佞者」，就是奸臣、壞人。我們把他說成壞人，已經做官，乃至於已經選上議員，都互相侵陵。有的時候從私利出發，有的時候從我這一黨出發，從來沒有考慮到全國人民如何。雖然標榜是我考慮全體人民，就拿這個來成就自己的名利。「互相侵陵」，當時他的力量敵不住你，你就把他殺害了，或者把他的家族殺害了，他的忿恨之心，就恚結於心，憤恚者就是憤怒的力量發不出來，結於心者就會恚怒。這就是結怨，乃至於臨死的時候說：「我變鬼，也要報仇！」

那就是恚結，恚結於心。來生再來，若相遇到，他能對你好嗎？爲什麼有人見到人，跟他毫無關係，也拿槍打他呢？這不是今生，而是過去生結下的，就是他看見了，就非把那個人打死不可，因爲那個人前生打死過我。因爲他沒有看見前生，這是恚結。

「興諸鬥諍」，提倡鬥諍，宣揚鬥諍。乃至鬥到子跟父鬥，夫妻相鬥，家族相鬥。「共餘鄰國交陣戰時」，像這類的國家，他的軍隊士兵也不能打仗，要跟人家打仗的時候，那個軍士，也就是作戰的兵員，他的心已經離開了，不想保護這個國家，不想爲保護這個國家而捨身命，所以一跟敵人交戰就敗了。

「彼刹帝利旃荼羅王，宰官居士長者沙門婆羅門等旃荼羅人，不久便當肢體廢缺」，說到這些人，或者被人家殺害、殘害的，或者自己生病的，反正不管怎麼樣，生了惡病不能治療，很長的時間。多日夜，有舌頭不能說話，有嘴不能吃東西。

「復次善男子！有刹帝利旃荼羅王，宰官居士長者沙門婆羅門等旃荼羅人，隨惡友行，善根微少，諂曲愚癡，懷聰明慢，於三寶所，無淳淨心，不見不畏後世苦果。此有一類，於聲聞乘得微少信，實是愚癡，自謂聰敏，於我所說緣覺乘法，及大乘法，毀呰誹謗，不聽衆生受持讀誦，下至一頌。」

這是另一種惡輪。有的國王是惡國王，他所有的宰官、臣民、居士、長者、沙門婆羅門都是惡人。「隨惡友行」，惡友行就是我們舉那個破戒的沙門，乃至於冒充沙門。現在有很多冒充沙門，一位在家人，也自稱法師，也穿上和尙黃袍紅祖衣，也上座說法，把佛的法另作一種解釋。我在台灣就聽到過，你可以在電台收得到。他買一個節目說幾分鐘，這是顚倒的。

像這樣的人，隨惡友所作的是什麼事呢？「諂曲愚癡」。他還以爲自己很聰明。所謂聰明者，就是他認爲他的邪見很聰明，聰明到什麼程度呢？對三寶無所信心，沒有淳淨心，沒有恭敬心，不信因果，當時就可以顯出了，他是不信因果。信因果，他就不敢作這些事，這是不學佛法的人。有時候他的心不敢作惡事，他作不下去，因爲在我們的國土裡頭，就說我們中華民族，儒教也好，在我們幾千年的歷史傳統也好，雖然沒有佛法，他也知道這件事不能作，不作損人利己的事情。我們儒教的教導也如是。非禮勿視，不合乎道理的不能看，不合乎道理的不能去作，不合乎道理的音聲不能去聽。非禮勿視，非禮勿言，非禮勿聽，這跟佛教有些相合的，這就是注重因果。

「害人者人恆害之，殺人者人恆殺之。」但是他不信，以爲自己很聰明，你要是跟他說聲聞法，他說：「我是大乘！」你要是給他說菩薩法，讓他行菩薩道，他說：「我是小乘，是自利的。」究竟他是哪一乘呢？他哪一乘也不是，他是地獄乘，也是三塗乘，他乘那個車子，那個車運載他到三塗裡去，甚至於以得少為足。

或者在這個因緣法，他懂得一點，他就謗聲聞法，謗大乘法，謗六度法。或者他學聲聞法，學了苦集滅道，就謗緣覺法，謗大乘，謗六度法。他認為自己是圓滿的，自己是學大乘法的，對小乘法，生起毀謗。對於小乘法，佛也是讚歎的。學大乘法的，以為不用學二乘法，佛可沒有毀謗二乘法。佛是對大乘機的人，跟他說大乘法，既然你發了菩提心，度一切眾生，一切眾生都能度，何況是二乘聖人呢？

因此，三乘法都是對的，要體會到佛是對機說法的，不是專說哪一法。若有這類根機的眾生就給他說這類的法，面對另一類根機的人，就給他說另一種的方法。修行的方法，八萬四千法門，方法很多，看是對哪個人說的。這個對他說，不適用，就不能對他說，是這樣的意思。

體會到這層意思，對三乘法都應當學習讀誦，不應當毀謗。這裡又說，對於這些出家人，好像對優婆夷居士，居士跟居士之間，說出家人跟出家人之間，在家的淨信善男女，對待四衆弟子，互相的關心，應當尊重。像前面那一個破戒比丘，應該如何對他呢？他是他的因果，你照樣把他當成聖人來看，你以聖人之心，看一切人都是聖人。這三乘法乃至於受持讀誦，下至一頌。

「復有一類，於緣覺乘得微少信，實是愚癡，自謂聰敏，於我所說聲聞乘法及大乘法，毀呰誹謗，不聽衆生受持讀誦，下至一頌。復有一類，於大乘法得微少信，實是愚癡，自謂聰敏，於我所說聲聞乘法、緣覺乘法，毀呰誹謗，不聽衆生受持讀誦，下至一頌。如是等人，名爲毀謗佛正法者，亦爲違逆三世諸佛，破三世佛一切法藏，焚燒斷滅，皆爲灰燼，斷壞一切八支聖道，挑壞無量衆生法眼。若剎帝利旃荼羅王，乃至沙門婆羅門等旃荼羅人，於佛所說聲聞乘法、緣覺乘法及大乘法，障礙覆藏，令其隱沒，乃至一頌。」

「復有一類，於緣覺乘得微少信」，實在是愚癡。他沒有證得緣覺道，自己以為自己聰明就謗聲聞乘法。這都叫毀謗正法。現在聽到的相當多，學顯教的毀謗密教，學密的毀謗顯教。如果你眞正的學習西藏教義，密就是顯，顯所解釋的就是密。

「唵嘛呢叭彌吽」，你知道是甚麼涵義呢？你必須用顯，用語言顯示出來，解釋一下你才能知道。「唵嘛呢叭彌吽」，觀自在菩薩的所有經論都可以包括在這六個字裡頭，乃至於包括在一個字當中，「唵」一個字就具足一切。沒有顯教的基礎，你不懂，怎麼入得到呢？你到拉薩去學，師父隨便就會給你授灌頂？不可能的。你沒有學二十年的顯教，二十年的顯教學完了，眞正的成為學者，叫格西。沒有到這個位子，密宗院不會收你的。你必須得格西學位，有學者的證明，有這個身份，密宗院才會收你。進了密宗院，還得先學五年，作壇城、作儀式，你不會作儀式，受了密宗，你怎麼修行？你受了灌頂，你得作壇城，自己作，誰給你作？作了壇城，你作得了壇場，就可以坐在壇城前觀想，可以在壇城裡頭修。

壇城有很多重要的道理，現在無論到了台灣也好，或者西藏受了災難之後，到印度等地方，以法賣錢，也就是攀緣法。什麼叫受灌頂？他知道是什麼？從藏文翻到英文，又從英文再來跟你說，說完了，你也不知道，你受了灌頂，你就掉到一邊去，這是不行的。所以不要毀謗。密宗法是無上的，你沒有學習，你不知道，你就毀謗，那是錯誤的。喇嘛也有不好的，你也不要毀謗，他自己會受他的因果，你應把他當成聖人看。

這就是教導我們對於三寶的正法，要能護持，不要加以毀謗。如果毀謗的話，你就毀謗正法，這是三世諸佛的法藏。不論顯密各宗各派，你認爲那個不對，你不學就好了，這不對你的機，你要去找對你的機的法。毀謗，等於「焚燒斷滅」。挑壞無量衆生的法眼，使衆生都變成盲人，沒有法的智慧。

「若刹帝利旃荼羅王，乃至沙門婆羅門等旃荼羅人，於佛所說聲聞乘法、緣覺乘法、及大乘法，障礙覆藏。」使他不能弘揚，「令其隱沒」，那部經不講，那部經就漸漸不住世。爲什麼有的人說，法滅的時候，《阿彌陀經》

還住世一百年？因為弘揚淨土的人多。甚深的教義，解釋的少，無論哪一部經，現在的藏經，有很多好的方法，很多都隱沒了。

如果閱藏，你可能感覺到這部經，對你很適合，又沒有人講，沒有人弘揚，沒有人提倡，沒有印行。我們除了《金剛經》、《阿彌陀經》、《藥師經》這幾部經之外，很多經漸漸不講了，也就漸漸隱沒了。沒有人弘揚，就埋沒了。弘揚《阿彌陀經》的多，因為這一法對應我們末法的機，確實是當機。你別的學不會，念句阿彌陀佛，該可以吧！那就念句阿彌陀佛，念句阿彌陀佛也能得度。但是要學就要學好，怎麼叫學好呢？念阿彌陀的方法有很多。先清淨你的心，先問問你自己用什麼心來念，念佛不是口念，念佛要從心起念。念念要歸於心，念念從心起，念念歸於心，你是心是佛，是心作佛，阿彌陀佛就是你自己，你自己能放出無量光，但是你必須學透，要是你加以毀謗，那個法就障礙了，就逐漸毀滅了。

「當知是人名不恭敬一切法眼三寶種性，由是因緣，令護國土一切天龍藥叉神等，信敬三寶無動壞者，於剎帝利旃荼羅王，乃至沙門婆羅門等旃荼羅人，心生瞋忿，廣說乃至彼剎帝利旃荼羅王，宰官居士長者沙門婆羅門等旃荼羅人，不久便當肢體廢缺，於多日夜結舌不言，受諸苦毒，痛切難忍，命終定生無間大獄。」

毀謗法的人當知，誰毀謗，誰就是「不恭敬一切法眼三寶種性，由是因緣，令護國土一切天龍藥叉神等，信敬三寶無動壞者」，那個鬼神信的有根底，不是隨便動搖的。無動壞者，沒有動到他的信心，壞他的信心。這樣的天龍藥叉神，一般的天龍，藥叉神就是夜叉，有善有惡的，人有善有惡，神也有善有惡，這是一樣的。

護法善神，他對於旃荼羅剎利王乃至沙門婆羅門等旃荼羅人，心生瞋忿，廣說乃至彼剎帝利旃荼羅王，宰官居士長者沙門婆羅門等旃荼羅人，不久便當肢體廢缺。謗法的人，「多日夜結舌不言，受諸苦毒，痛切難忍，命終定生無間大獄」。這跟前面一樣，定生無間大獄，也就是無間地獄。

「復次善男子，有剎帝利旃荼羅王，宰官居士長者沙門婆羅門等旃荼羅人，隨逐破戒惡苾芻行，廣說乃至於彼國中有諸法器眞實福田，於刹帝利旃荼羅等，皆住捨心而不護念。雖居其國，而依法住，常不喜樂俗間居止，亦不數數往施主家，設令暫往，而護語言，縱有語言，曾無虛誑，終不對彼在家人前，譏毀輕弄諸破戒者。於諸破戒惡行苾芻，終不輕然輒相檢問，亦不現相，故顯其非，常近福田，遠諸破戒。而彼破戒惡行苾芻，於此持戒眞善行者，反生瞋恨，輕毀侵陵，於刹帝利旃荼羅王，乃至沙門婆羅門等旃荼羅人，在家男女大小等前，種種諂曲，虛妄談論，毀呰誹謗此持戒者，令刹帝利旃荼羅王，乃至沙門婆羅門等旃荼羅人，於我弟子少欲知足持戒多聞具妙辯才諸苾芻所，心生瞋恨，種種麤言，呵罵逼切，令心憂惱，身不安泰，或奪衣鉢諸資身具，令其匱乏，或奪所施四方僧物，不聽受用，或閉牢獄，伽鎖拷楚，或解肢節，或斬身首。」

這段經文就是說，這個惡王乃至於惡人，這國土的善神都捨棄他們，不護念他們。也有居這個國土之內的，有的離開了，有的未離開，雖然是未離開，也不管了，不護念國土，不護念以上的這些人。這種人不喜歡在世間住，喜歡居寂靜處，就是我們前面說的住寂靜處，那叫阿蘭若。他也不常常到施主家，也就是有信心的施主家，「設令暫往」，或者有事情的時候暫時去一下子，他對他的語言，善護語言，不說虛話，不說誑惑人家的話，也不對這些在家人的面前，「譏毀輕弄」那些諸破戒者，也就是不說破戒比丘的過，不論當著誰，不論是當著國王，前面舉了很多的例子，不說那個惡行比丘的過，「故顯其非」，故意的顯那些破戒惡行比丘過。

「常近福田，遠諸破戒」。他本人對那個破戒比丘，不跟他共住，而彼破戒惡行苾芻，於此持戒眞善行者反生瞋恨。因爲善人、善行比丘，爲了護持的言語行動，不說他一句壞話。

而這個惡行比丘，他就不同了，他反過來「輕毀侵陵」，侵陵這個善比丘，對著「刹帝利旃荼羅王，乃至沙門婆羅門等旃荼羅人」，或者在家的男女，不論大人小人前，種種的諂曲，虛妄的談論，「毀呰誹謗此持戒者」，說這個清淨者，說這個清淨比丘。令這個剎帝利旃荼羅王乃至沙門婆羅門等旃荼羅人，心生瞋恨，乃至於說「種種麤言，呵罵逼切，令心憂惱。」令這個好比丘，修行的比丘，身心不得安泰，或者更進一步搶奪善比丘的衣鉢，資身工具，令其匱乏。或奪所施的四方僧物，人家供養給好比丘的，他們都給搶了，不聽他們受用。更有甚者，「或閉牢獄，枷鎖拷楚，或解肢節，或斬身首」。這種種的刑罰，是非理相加的。

「善男子！當觀如是諸剎帝利旃荼羅王，乃至沙門婆羅門等旃荼羅人，親近破戒惡行苾芻，造作如是種種大罪，乃至當墮無間地獄。若諸眾生作五無間，或犯重戒，或近無間性罪，遮罪猶輕。如是諸剎帝利旃荼羅王，乃至沙門婆羅門等旃荼羅人，親近破戒越法重罪。善男子！如是破戒惡行苾芻，雖作如是越法重罪，而依我法，剃除鬚髮，被服袈裟，進止威儀同諸賢聖，我尚不許國王大臣諸在家者依俗正法，以鞭杖等捶拷其身，或閉牢獄，或復呵罵，或解肢節，或斷其命，況依非法。國王大臣諸在家者，若作此事，便獲大罪，決定當生無間地獄。於諸破戒惡行苾芻，猶尚不應如是謫罰，何況持戒眞善行者？善男子！若有苾芻於諸根本性重罪中，隨犯一罪，雖名破戒惡行苾芻，而於親教和合僧中，所得律儀，猶不斷絕，乃至棄捨所學尸羅，猶有白法香氣隨逐，國王大臣諸在家者，無有律儀，不應輕慢，及加謫罰。如是苾芻雖非法器，退失聖法，穢雜清眾，破壞一切沙門法事，不得受用四方僧物，而於親教和合僧中，所得律儀不棄捨故，猶勝一切在家白衣。犯性罪者尚應如是，況犯其餘諸小遮罪，是故不許國王大臣諸在家者輕慢謫罰。」

「如是種種大罪」，就是對善良的比丘，持戒的比丘，修行的比丘，加以種種迫害，這就犯了種種大罪，「當墮無間地獄。」

「若諸眾生作五無間，或犯重戒，或近無間性罪」，近無間罪，還沒有犯到五無間大罪。我舉個例子，殺人沒有殺死，這個人雖然被殺了之後，往後沒死，這個罪就是近於五無間罪，還不是五無間罪。沒有作成，還不算犯根本戒。但是對於這個惡行比丘，這個破戒比丘。「善男子！如是破戒的惡行苾芻，雖作如是越法的重罪」，他已經作了這種重罪，無間罪。但是，他是依著我法剃除鬚髮的，被服袈裟的，進止威儀的，還同諸賢聖。

就是國王對這個惡行的比丘，也有善良的國王，不完全都是惡性國王，惡性國王是跟他混同一體的，當然不會殺他，不會害他，認爲他是對的。善良的國王，對於這個惡行的比丘，雖然不能夠依著正法，或者是偷盜，或者他殺人，那應該要償命，依照正法，就要斷他的生命，這是不可以的，因爲他已經示現同賢聖相。有受戒善根的僧寶的，還有善法的餘勢，那個勢力還未有消盡，不應該斷他的命。況依非法呢？依著合法，也都不可以這樣作，依著非法更不可以。

所以，「國王大臣諸在家者，若作此事，便獲大罪。」要是對於這位破戒的比丘作了這些事情，懲罰他，那就犯大罪，「決定當生無間地獄」，你等於是殺生。於諸破戒惡行的苾芻，猶尚不應如是的謫罰，何況持戒的眞善行者？對於破戒比丘都不可能這樣作，乃至於修行者，眞正持戒的比丘，乃至於弘法的比丘，乃至眞正住持正法的比丘，那就更不可以這樣作。這樣作，罪更大。

殺盜淫妄四戒，隨便破哪一戒的罪，就叫破戒惡行比丘，而於親教和合僧中所得的律儀，猶不斷絕。他受律儀的戒體，還沒有完全喪失，還沒有斷。乃至於棄捨所學的尸羅，就是這個破戒的比丘，他把這個戒完全棄捨了，不學了，但是他還有清淨法的香氣。他那個戒香的餘勢，隨住他，檀香燒過了，煙已經沒有了，但是你在那個屋子待久了，你身上還有那個香氣，還有檀香、沈香的香氣，就是這樣的涵義。

「國王大臣諸在家者，無有律儀，不應輕慢。」國王大臣，你自己也沒有受戒，沒有這個戒的律儀，你怎麼能還來輕慢他呢？何況再加以謫罰呢？「如是苾芻雖非法器，退失聖法，穢雜清衆，破壞一切沙門法事，不得受用四方僧物，而於親教和合僧中，所得律儀不棄捨故」，因爲他最初受戒，是跟他的親教師學律，跟和合僧中所得的律儀，他還沒有完全的捨棄。因此，他還勝過一切在家的白衣。

已經犯了根本戒，「犯性罪者尙應如是」，犯了根本戒，在家的白衣，或者是國王不應該輕視他，不應該謫罰他。那些破戒的比丘，乃至犯的小遮罪，更不應該作，更不應該懲罰他。

如果是國王大臣諸在家，輕慢了，謫罰了，那就不對，不應該謫罰輕慢他。這樣說，佛好像很護持這個弟子，破了戒的，還這樣的護持他！並不是這個原因。不是護持他，而是護持你，護持這個在家謗毀者，怕你的福德會喪失、會墮地獄。不是護持那個人，我們要是觀察錯了，好像佛護持他的破戒弟子，好像我們在家人護持自己的子女，好像我的公司護持我的職員，用這樣的觀念來認識佛就錯誤了。爲什麼這樣說呢？因爲佛是護持你，不要作罪，並不是護持那個破戒比丘。誰謗毀他，他作他要受報的，你要是謗毀，你就要受罪，這是護持你，不要這樣作。

「所以者何？善男子！乃往過去有迦奢國，王名梵授，勅旃荼羅：有大象王，名青蓮目，六牙具足，住雪山邊，汝可往彼拔取牙來。若不得者，汝等五人定無活義。時旃茶羅爲護身命，執持弓箭，被赤袈裟，詐現沙門威儀形相，往雪山邊，至象王所。時彼母象，遙見人來，執持弓箭，驚怖馳走詣象王所，白言：大天！今見有人張弓捻箭，徐行視覘，來趣我等，將非我等命欲盡耶？象王聞已，舉目便見剃除鬚髮著袈裟人，即爲母象而說頌曰：

被殑伽沙等　諸佛法幢相　觀此離諸惡　必不害眾生

時彼母象以頌答言：

雖知被法服　而執持弓箭　是惡旃茶羅　樂惡無悲愍

時大象王復說頌曰：

見袈裟一相　知是慈悲本　此必歸佛者　愍念諸眾生
汝勿懷疑慮　宜應速攝心　被此法衣人　欲渡生死海」

這是佛自己舉的例子。有個大象王叫青蓮目，六牙白象是寶象。牠住在什麼地方呢？住在雪山邊。過去有個迦奢羅國，這個國王叫梵授，他找幾個惡人旃荼羅，旃荼羅種姓的惡人，他跟他們說：「有大象王叫青蓮目，牠六牙具足的住在雪山邊，牠的那牙是寶牙，你可以到那個地方去，把牠的牙給我拔來，你若不把牠的牙拔來，我就把你們全殺了。」

這五個旃荼羅人沒有辦法，為了保護自己的身命，他們就去殺那個象。他們知道以他們的力量一定會被這象給踏殺了。因為象的威力很大，他們怎麼辦呢？他們就帶著弓箭，距離那象很遠的地方，他們化裝成沙門，頭髮剃了，找了赤袈裟，詐現沙門的威儀形相，「往雪山邊，至象王所」。這個象王牠有母象，那母象遙遠的見到有人拿著弓箭來了，很恐怖的跑到象王跟前說，稱讚象王、稱讚大天，「今見有人張弓捻箭，徐行視覘。」牠說，他們恐怕來傷害我們的。他們一邊走，一邊占察巡視，「來趣我等」，就是來趣我們的處所，將非我等命欲盡耶？是不是我們命終呢？

象王聞已，舉目便見剃除鬚髮的袈裟人，即為母象而說頌曰。「被殑伽沙等，諸佛法幢相，觀此離諸惡，必不害衆生。」牠說：妳錯了，這些人穿著袈裟，是在恆河沙數那麼多諸佛種的善根，他們穿的衣服，就是一切諸佛的法幢相，就是這袈裟，他們已經離了諸惡，怎麼還會害衆生呢？這是象王說的。這母象就答覆牠：雖知被法服，而執持弓箭，是惡旃荼羅，樂惡無悲愍。對他們不能悲愍，他們就喜歡作惡事的，這些都是惡旃荼羅，雖然是披著法服，披法服怎麼會拿著弓箭呢？他們是假的吧！

大象王又說，又復說頌曰：「見袈裟一相，知是慈悲本。」牠說：不管他們吧！只要看見袈裟，這就具足慈悲。披袈裟的人都是慈悲的根本，一定慈悲一切衆生的。「此必歸佛者」，這些人一定是歸依佛的，一定是佛弟子。「愍念諸衆生」，慈愍哀念一切衆生的，「汝勿懷疑慮」，妳不必過份疑慮，「宜應速攝心」，妳把妳的心收攝回來，不要這樣想。披此法衣的人都是想渡生死海的，要了生死的，怎麼會害衆生呢？

「時旃荼羅即以毒箭，彎弓審射，中象王心。母象見之，舉聲號咷，悲哀哽噎，以頌白言：

被此法衣人　宜應定歸佛　威儀雖寂靜　而懷毒惡心

應速蹋彼身　令其命根斷　滅此怨令盡　以射天身故

時大象王以頌答曰：

寧速捨身命　不應生惡心　彼雖懷詐心　猶似佛弟子
智者非爲命　而壞清淨心　爲度諸有情　常習菩提行

時大象王心生悲愍，徐問人曰：汝何所須？彼人答曰：欲須汝牙。象王歡喜，即自拔牙施旃荼羅，而說頌曰：

我以白牙今施汝　無忿無恨無貪惜
願此施福當成佛　滅諸眾生煩惱病」

正在說的時候，這個旃荼羅的惡人就用他的毒箭彎弓射中象王心，射到那個象的心臟。「母象見之，舉聲號咷，悲哀哽噎，以頌白言：被此法衣人，宜應定歸佛，威儀雖寂靜，而懷毒惡心。」他的威儀看起來很好的，可是心太壞了。「應速蹋彼身」，母象說，我把他們殺了，「令其命根斷」。把他殺了，就是命根斷了。「滅此怨令盡」，這種怨恨心，我非把他滅了不可，消滅他們，我這個恨心才能消失，怨才消失。大象王不許，以頌答象母：「寧速捨身命，不應生惡心。」勸這母象說：你千萬不要生惡心，我捨身命可以，「彼雖懷詐心，猶似佛弟子。」他雖然不是眞佛子，他是欺詐的，但是他相似。爲什麼呢？他披佛弟子的衣。「智者非爲命」，有智慧的人絕不會保護自己這個生命，「而壞清淨心」，壞了我們的清淨心，身命捨了，沒有關係，清淨心是不能壞的。「爲度諸有情，常習菩提行。」這就要發菩提因，修菩提行，有清淨心就是菩提行，一定能證菩提果。

「時大象王心生悲愍」，牠對射牠的人，不只不傷害，反倒悲愍他們。「徐問人曰」，徐就是慢慢的、柔和的、善順的，「汝何所須？」問說你們爲什麼要射我，你們需要什麼呢？彼人答曰，這旃荼羅就答覆牠說，「欲須汝牙！」想要你的牙，象王聽見很歡喜，就自己拔牙，施予旃荼羅，就布施給他們了。「我以白牙今施汝，無忿無恨無貪惜」，我沒有貪心，我對我的身體沒有貪心，我也不顧惜，你射我，我也不憤恨你，不怨恨你。我的目的是願以我布施你這個牙，以這個布施的福德當成佛，我將來一定能成佛，也能以這個功德滅衆生一切的煩惱病。我發願讓一切衆生煩惱都滅掉，病苦都滅掉。

「善男子！當觀如是過去象王，雖受無暇傍生趣身，爲求阿耨多羅三藐三菩提故，而能棄捨身命無悋，恭敬尊重著袈裟人，雖彼爲怨，而不加報。然未來世有剎帝利旃荼羅王，宰官居士長者沙門婆羅門等旃荼羅人，實是愚癡，懷聰明慢，諂曲虛詐，欺誑世間，不見不畏後世苦果。於歸我法而出家者，若是法器，若非法器諸弟子所，惱亂呵罵，或以鞭杖楚撻其身，或閉牢獄，乃至斷命。此於一切過去未來現在諸佛犯諸大罪，決定當趣無間地獄，斷滅善根，焚燒相續，一切智者之所遠離。」

這象王本來是畜生，受的傍生畜生。「爲求阿耨多羅三藐三菩提故，而能棄捨身命無悋。」棄捨身命不悋惜，不怨恨，而能恭敬尊重著袈裟人，恭敬這個穿袈裟的，這袈裟就是忍辱衣。袈裟的涵義很多。「雖彼爲怨而不加報」，他射死牠，牠應當仇恨，應當怨，但是牠不報復。如果以象王之力報復他，這五個人是不得活命的。

「然未來世有剎帝利旃荼羅人，宰官居士長者沙門婆羅門等旃荼羅人，實是愚癡，懷聰明慢，諂曲虛詐，欺誑世間，不見不畏後世苦果。於歸我法而出家者，若是法器，若非法器」，法器就是持戒弟子，非法器就破戒弟子。

不論法器非法器破戒的比丘，一切的俗人，不論國王大臣庶民都算上，如果對比丘的呵罵，惱亂，鞭打乃至繫閉牢獄，乃至斷命，這個就是破壞過去未來現在的一切諸佛的佛法，滅正法眼藏，那就犯大罪。「決定當趣無間地獄」，決定下地獄的，而且善根永斷。這種的罪惡，相續不斷的，像火一樣，焚燒相續。「一切智者之所遠離」，這種罪惡、這種的事情，一切有智慧的人絕不作，遠離這種惡事。

「彼既造作如是重罪，復懷傲慢，誑惑世間，自稱我等亦求無上正等菩提，我是大乘，當得作佛。譬如有人自挑其目，盲無所見，而欲導他登上大山，終無是處。於未來世有剎帝利旃荼羅王，宰官居士長者沙門婆羅門等旃荼羅人，亦復如是，於歸我法而出家者，若是法器，若非法器諸弟子所，惱亂呵罵，或以鞭杖楚撻其身，或閉牢獄，乃至斷命。此於一切過去未來現在諸佛犯諸大罪，斷滅善根，焚燒相續，一切智者之所遠離，決定當趣無間地獄。」

假使有的剎帝利王乃至於婆羅門剎利門人等，作了這個罪，他自己還是很傲慢的。「誑惑世間」，怎麼樣誑惑呢？「我等亦求無上正等菩提」，我們也是求正等菩提的。還說什麼呢？「我是大乘，當得作佛」，這就是欺誑。他作了惡事，還騙人說，自己是學大乘法的，不著於相，諸法皆空，誑惑世間。

「譬如有人自挑其目，盲無所見，而欲導他登上大山，終無是處。」如一個人把自己的眼目搞瞎了，完了，他還要當導師，還要領導別人上山，這可能嗎？無有是處，絕對不可能。

上面是譬喻，現在就是說法。於我的法而出家者，在我法中出家的，依法而出家的，或者是法器，就是清淨比丘。或者非法器，也就是破戒比丘，在我這「諸弟子所，惱亂呵罵，或以鞭杖楚撻其身，或閉牢獄，乃至斷命。此於一切過去未來現在諸佛犯諸大罪，斷滅善根，焚燒相續，一切智者之所遠離，決定當趣無間地獄。」這都是重覆的，每句的前面、後面都是相同的，只有中間幾句的情節不同而已。

「彼既造作如是重罪，復懷傲慢，誑惑世間，自稱我等亦求無上正等菩提，我是大乘，當得作佛。彼由惱亂出家人故，下賤人身尚難可得，況當能證二乘菩提，無上大乘於其絕分。」

他欺騙什麼呢？這就是欺騙的言詞。這種人都是欺騙世間的，他還能成佛嗎？他惱亂出家的人，連得個下賤人身再來轉人，都不可能，都得不到，「尚難可得」，他還要說得二乘的菩提，乃至於大乘的究竟菩提？對他而言，這是絕不可能的。

「又善男子！過去有國名般遮羅，王號勝軍，統領彼國。時彼有一大邱壙所，名朅藍婆，甚可怖畏，藥叉羅刹多住其中，若有人見，心驚毛豎。時國有人罪應合死，王勅典獄縛其五處，送朅藍婆大邱壙所，令諸惡鬼食噉其身，罪人聞已，爲護命故，即剃鬚髮，求覓袈裟，遇得一片，自繫其頸，時典獄者如王所勅，縛其五處送邱壙中，諸人還已。」

「過去有國名般遮羅」，這是印度十六個大國之一，叫般遮羅國。這個國王，號勝軍，他是這個國的國王，統領這個國家。這個國家有一個地方名朅藍婆，翻成中文就是大邱壙。什麼叫大邱壙呢？大邱壙就是墳塚，也就是人死了之後，丟到沒有地主的地方，也叫亂墳，誰都可以葬的。而且是荒野，人煙稀少。「大邱壙所」，就是朅藍婆。「甚可怖畏」，那個地方非常可怕，人是不到那個地方去的。羅刹、藥叉，都會到那個地方去，都在那個地方居住。假使有人看見那個地方，到那處所，心裡會害怕，汗毛都豎起來了，「心驚毛豎」。

這個時候，這個般遮羅國，勝軍王，有人犯了罪，這個罪應當處死，那國王就告訴執法者、典獄，把他繫縛五處，兩手兩腳，把兩手綁開，兩腳拿繩子穿上，把脖上穿上，這叫五處。就把他綑綁起來，送到這個大壙所，也就是朅藍婆的大壙所，讓這些惡鬼把他吃了，就算了，不要殺害他。因爲這個國王，他不殺害衆生，就把這個罪人丟到那壙野，施給鬼神。

這個罪人，他聽見了國王把他送到這個地方，大概是聽到袈裟的殊勝，他就把頭髮剃了，化身爲沙門，「求覓袈裟」，想找一件袈裟也沒有找到，只得了一片，一片的袈裟，就只有一條袈裟，或者朽爛的袈裟。得到這麼的一片袈裟，把它繫到脖頸，那個典獄者就把他送到邱壙的地方。

這些人都回去了，到了夜間，這壙野地方的鬼神，白天是不會來的。鬼神是畏避太陽的，陰氣是敵不住太陽的陽氣。雖然我們怕鬼，其實鬼也怕人，特別是我們佛弟子，自己看不見自己的光明，鬼神看見他，但是他沒有信三寶，也沒有護法神加持，他身上的熱能、火力、陽氣，那鬼神是懼怕的。鬼怕人，人也怕鬼，人聽到鬼就害怕，其實鬼怕人。你沒作虧心事，哪怕鬼敲門，你作了，有事才害怕。而且正人君子不怕鬼，什麼都不怕，你的心不正就怕。作了好多虧心事，對不起人的事，你心裡就有鬼，你怕那鬼，是你心裡的鬼，就是這個涵義。

「至於夜分，有大羅刹母，名刀劍眼，與五千眷屬來入塚間。罪人遙見，身心驚悚。時羅刹母見有此人被縛五處，剃除鬚髮，片赤袈裟繫其頸下，即便右遶，尊重頂禮，合掌恭敬而說頌言：

人可自安慰　我終不害汝　見剃髮染衣　令我憶念佛

時羅刹子白其母曰：

母我爲飢渴　甚逼切身心　願聽食此人　息苦身心樂

時羅刹母便告子言：

被殑伽沙佛　解脫幢相衣　於此起惡心　定墮無間獄

時羅刹子與諸眷屬，右遶此人，尊重頂禮，合掌恭敬，而說頌曰：

懺悔染衣人　我寧於父母　造身語意惡　於汝終無害」

到了夜分，鬼神就來了。「有大羅刹母，名刀劍眼，與五千眷屬來入塚間」，就到了這大壙野墳地。罪人遙見身心驚悚，嚇壞了。這個羅刹母見了有一個「被縛五處，剃除鬚髮」，還有一片赤袈裟纏在頸子下面，她很恭敬，即便右遶三匝，就像我們到佛殿裡似的，右遶三匝。在大陸上，我們每逢進殿的時候，大殿一定是通的，一定許你遶的，不像我們這個殿，你從後頭是遶過不去的。把殿佛像設到中間，圍遶塔，一到塔裡，塔的四邊都遶遶三圈，或者七圈，你的福田就無量了。遶後，才能頂禮。進了門，第一個動作，就是圍塔圍遶三圈，遶塔而經行，這是佛的制度。所以這個羅刹母，她就隨著這個一片袈裟人，遶了三圈，遶完了之後，「尊重頂禮合掌恭敬」，說偈讚頌。

「人可自安慰，我終不害汝」。不要害怕，你自己可安安穩穩的，我因爲見了你，「見剃髮染衣，令我憶念佛。」我就想起佛，你不要害怕，我不會傷害你的。但是他的兒子，他的五千眷屬就不同了。羅刹子就跟媽媽說，「白母言」，母親！「我爲飢渴」，我現在又渴又餓。飢就是餓，渴就是想飲水。「甚逼切身心」，我的身心很不安。「願聽食此人，息苦身心樂」，你可以允許我把他吃了。

羅刹母就告訴他兒子說，「羅刹母便告子言：被殑伽沙佛，解脫幢相衣，於此起惡心，定墮無間獄。」你可不能生起這個念，這是恆河沙諸佛的解脫衣，幢相衣是法幢，很殊勝的。於此相生起惡心，「定墮無間獄」，你一定要墮無間獄的，不要生起這個心。羅刹子跟這些眷屬一聽到羅刹母這樣說，他們都學羅刹母，就圍著這個人右遶三匝，而「尊敬頂禮合掌恭敬說頌曰：懺悔染衣人，我寧於父母，造身語意惡，於汝終無害。」說你放心，我們不會害你的，假使說對我父母的話不聽，乃至於牴觸我父母都可以，但是對你，我們不敢傷害你。爲什麼呢？你穿的是懺悔的染衣人，你是懺悔者，求道者，佛弟子！

「爾時復有大羅刹母，名驢騾齒，亦有五千眷屬圍遶，來入塚間。時羅刹母亦見此人被縛五處，剃除鬚髮，片赤袈裟繫其頸下，即便右遶，尊重頂禮，合掌恭敬而說頌曰：

人於我勿怖　汝頸所繫服　是仙幢相衣　我頂禮供養

時羅刹子白其母曰：

人血肉甘美　願母聽我食　增長身心力　勇猛無所畏

時羅刹母便告子曰：

人天等妙樂　由恭敬出家　故供養染衣　當獲無量樂

時羅刹子與諸眷屬，右遶此人，尊重頂禮，合掌恭敬，而說頌曰：

我今恭敬禮　剃髮染衣人　願常於未來　見佛深生信」

除了羅刹母的名字，跟前面的不一樣，其他的都是相同的，都是重覆的。還有讚歎的偈子，略微的有點出入。

「人於我勿怖，汝頸所繫服，是仙幢相衣，我頂禮供養。」羅刹母看見這個犯罪的人，他頸上有一片袈裟，所以就對他說，你不要害怕，不要恐怖，我是恭敬你頸項上所繫的袈裟服。這袈裟服是諸大仙，也就是諸佛，是法幢相的衣，我是頂禮供養的，也就是憶念佛的意思。

羅剎母是這樣子，羅剎子也是想請求他母親允許吃這個人。「人血肉甘美，願母聽我食，增長身心力，勇猛無所畏。」這個羅剎母的兒子就向他的母親要求說，人的血和肉是很甘美的，這是就鬼來說的。「願母聽我食」，這個「食」，就是吃，希望你聽我，准許我吃他，吃了之後增長我的身心力量，我就不害怕，勇猛無所畏。

那個鬼子母就告訴他說：「人天等妙樂，由恭敬出家，故供養染衣，當獲無量樂。」人天之所以能夠得到人天的福報，享受種種微妙的快樂，這是由於恭敬出家人，所以供養這個穿袈裟的人，可以獲得無量的快樂，因此你不能吃他。

經過羅剎鬼子母這麼一說，那羅剎子，還有他的五千眷屬，也右遶這個人。「尊重頂禮合掌恭敬而說頌曰：我今恭敬禮，剃髮染衣人，願常於未來，見佛深生信。」這就是他發的願。這個鬼子跟這些眷屬發願說，我現在恭敬這個剃髮染衣的，願未來的時候，我再轉世的時候得遇見佛，見佛的時候能生起清淨的信心，脫離苦海，不再輪轉。

「爾時復有大羅刹母，名髩髩髮，亦有五千眷屬圍遶，來入塚間。時羅刹母亦見此人被縛五處，剃除鬚髮，片赤袈裟繫其頸下，即便右遶，尊重頂禮，合掌恭敬，而說頌言：

大仙幢相衣　智者應讚奉　若能修供養　必斷諸有縛

時羅刹子白其母曰：

此人身血肉　國王之所賚　願聽我飲噉　得力承事母

時羅刹母便告子言：

如是染衣人　非汝所應食　於此起惡者　當成大苦器

時羅刹子，與諸眷屬，右遶此人，尊重頂禮，合掌恭敬，而說頌曰：

汝是大仙種　堪爲良福田　故我修供養　願絕諸有縛」

「大仙」是指著佛說的。佛的這件衣，像寶幢一樣的，豎立這種相，這是什麼意思呢？是離苦得樂的。有智慧的人應讚歎供養恭敬。若能夠修供養者，他就能斷一切縛，這個縛有很多，若說出來就是二十五縛，三界二十五有，都可以束縛你，乃至於我們說煩惱，八萬四千煩惱，這都是束縛你的，要有斷煩惱的意思。誰若能夠對於出家衆能供養，一定能斷這個結使、斷煩惱。羅刹子也是向他媽媽要求吃這個人。「此人身血肉」，他身上所具足的血和肉，「國王之所賚」，是國王賜給我們吃的，把他擱到這兒。

「願聽我飲噉」，就是要求母親聽我，把他吃了。「得力承事母」，我身心健康，有力量，我好孝敬您。羅刹母便告訴她的兒子說：「如是染衣人，非汝所應食，於此起惡者，當成大苦器。」剃髮染衣的是你不應該吃的，不但不應該吃，你要是對於這個生起惡念，生起惡心，你會變成受苦的。器是器皿，器皿是盛物的，這個器皿是盛苦的。法器就是盛法的，這是形容詞。

「時羅刹子與諸眷屬」，也是聽羅刹母的話。「右遶此人，尊重頂禮，合掌恭敬而說頌曰：汝是大仙種，堪爲良福田，故我修供養，願絕諸有縛。」「願絕諸有縛」跟「必斷諸有縛」，都是一樣的，每個偈頌都是一樣的意思，只是詞句略微改變一下。

其實這些頌，只說明一個問題，對待出家染衣，是尊重那件衣，並不是那個人，羅刹都是有神通的，他知道這個人是犯罪份子，但是他披上這件衣，就不能傷害他的命，傷他的命就是毀滅佛的幢相，是這樣的一個涵義。

「爾時復有大羅刹母，名刀劍口，亦有五千眷屬圍遶，來入塚間。時羅刹母亦見此人被縛五處，剃除鬚髮，片赤袈裟繫其頸下，即便右遶，尊重頂禮，合掌恭敬，而說頌言：

汝今被法衣　必趣涅槃樂　故我不害汝　恐諸佛所呵

時羅刹子白其母曰：

我常吸精氣　飲噉人血肉　願聽食此人　令色力充盛

時羅刹母便告子言：

若害著袈裟　剃除鬚髮者　必墮無間獄　久受大苦器

時羅刹子與諸眷屬，右遶此人，尊重頂禮，合掌恭敬，而說頌曰：

我等怖地獄　故不害汝命　當解放汝身　願脫地獄苦」

赤色是紅顏色的，但是佛在世的時候，他的衣都是染壞色衣，不是正紅，像喇嘛所穿的衣服，都是紫紅，黃的也不是正黃。到中國來了之後，我們穿的衣服變成了正紅、正黃。這是因爲當時的國王，也就是刹帝王，他要這樣作的，尊重他的意思，僧人都改了。但是我們出家人穿這個服裝，方袍圓領，這是漢朝一般人穿的。

還有，我們的寺廟叫寺，那是漢朝官府的名字，那是辦公的地點，政府的衙門。那時候，國外來的、印度來的都到鴻臚寺，等於是外交部招待所一樣的，那裡有很多房舍要招待他們。因此，建這個廟也不叫寺廟，也不叫僧伽藍，就叫寺。寺，本來是漢朝的鴻臚寺，政府的各廳、各院，都叫寺，知道這個意思就可以了。我們現在的情形跟經文的涵義，有點差異。這個赤袈裟，就是紅顏色的袈裟。袈裟衣，翻爲解脫服，穿了這件衣服就解脫了。

但現在解脫不了，穿上衣的還是沒有解脫，就好像我們前面講，很多破戒比丘，佛還聽許讓你供養，還要維護他，不准傷害他。這是什麼意思呢？

他也能給人看見比丘的形相，給人作福田的意思。現在，有時候連壞比丘也看不到了。末法在一萬年以後，這些佛法僧三寶的相狀沒有了。大陸上曾有三十多年的時間都沒有了。

所以這刀劍口的鬼子母，也如是。這羅剎母，我們都翻鬼子母，羅剎母有五千眷屬圍遶來入這個塚間。羅剎母見了這個人，縛五處，也是把一片赤袈裟繫在頸上，右遶尊重頂禮合掌恭敬。

「汝今被法衣」，這就是修道的法衣。如果我們受了三歸五戒的，五戒許可，需要一個禮懺衣，那也叫法服，這是佛所制定的，但是中間的只有五條，中間沒有橫條，有橫條是表示什麼呢？像田地一樣的，那就是福田，給眾生種福田的。你看見這個衣，你就種福田，如果能夠禮拜，福更大一點，供養的福更大一點。而且只要你眼睛見到這件衣，就種下善根，所以叫法衣。

「汝今被法衣」，不管你是假的也好，眞的也好，只要你被了，「必趣涅槃樂」，將來一定證得佛果，涅槃就是不生不滅的意思。「故我不害汝」，因此我才不會傷害，「恐諸佛所呵」，我要是傷害你，諸佛就呵責我，或者謫罰我，我就受了罪。

「時羅刹子白其母曰：我常吸精氣，飲噉人血肉，願聽食此人，令色力充盛。時羅刹母便告子言：若害著袈裟，剃除鬚髮者」，你要是害出家人，「必墮無間獄，久受大苦器。」那就成了一個盛苦的器皿，長久受這個苦毒。

「時羅刹子與諸眷屬右遶此人，尊重頂禮，合掌恭敬而說頌曰：我等怖地獄，故不害汝命，當解放汝身，願脫地獄苦。」我們因爲怕受地獄苦，恐怖地獄的苦難，所以不會害你的命，不然我們是要吃你的。「當解放汝身，願脫地獄苦。」我把你放了，那麼迴向我自己，將來就再不受地獄苦了。

「時諸羅刹母子眷屬，同起慈心，解此人縛，懺謝慰喻，歡喜放還。此人清旦疾至王所，以如上事具白於王。時勝軍王及諸眷屬聞之驚躍，歎未曾有，即立條制，須告國人：自今以後於我國中，有佛弟子，若持戒，若破戒，下至無戒，但剃鬚髮，被服袈裟，諸有侵陵，或加害者，當以死罪而刑罰之。由之因緣，眾人慕德，漸漸歸化，王贍部洲，皆共誠心，歸敬三寶。善男子！當觀如是過去羅刹，雖受無暇餓鬼趣身，吸人精氣，飲噉血肉，惡心熾盛，無有慈悲，而見無戒剃除鬚髮，以片袈裟掛其頸者，即便右遶，尊重頂禮，恭敬讚頌，無損害心。」

這包括前面所說的很多羅刹母子及其眷屬，「同起慈心」，這個「同」字就是大家都生起了慈悲心。「解此人縛」，把五處的繩索或者刑具都給他解了。「懺謝慰喻」，同時懺悔、歡喜、慰問他。「歡喜放還」，說你回去吧，就把他放走了，這是夜間的事。

「此人清旦疾至王所」，清旦就是早晨，到了清晨，他還沒有死，他很快速的，疾是迅疾，到了國王的地點，到了王宮裡面。「以如上事具白於王」，把他昨天所遭遇的，羅刹母子沒有害他的事，向國王說。

「時勝軍王及諸眷屬聞之驚躍」。這勝軍王就是制裁他的國王，還有大臣，眷屬，聽到這個人這麼一說，驚奇的不得了。「歎未曾有」，驚歎的意思，「即立條制」，要立條規。我們現在就是立了憲法，增加這個條款，召告於天下。「自今以後於我國中有佛弟子，若持戒，若破戒，下至無戒」，無戒就是他並未出家，因爲要避難，離脫恐怖感，才找了袈裟，沒有找到，只找到了一條，就是那一片袈裟救了他，這是無戒者。單是剃除鬚髮的、被服袈裟的，不許任何人侵害他，陵辱他。如果你侵害他了，或者加害這個剃除鬚髮的、被服袈裟的人，當以死罪而刑罰之。這是勝軍王所訂的法律。

「由之因緣，衆人慕德，漸漸歸化，王贍部洲」，這個勝軍王由於他這樣作，訂了這種法律，就免除了死刑，免除死罪。這可不是對一切人，而是對出家人，要恭敬，要禮拜，要敬禮。因爲有這麼一個因緣，其他的國土，或者人民都漸漸仰慕他的道德，漸漸歸化他。這個勝軍王，他這樣作了，所以漸漸的，提高了他的國王勢力。

歸化，我們大家都知道，到了加拿大，要入人家的國籍，這叫歸化，你要宣誓的，還得賭咒。我在紐約的時候，我們有一個歸化回來的道友跟我說：「今天那個考核的人，問他說，假使說我們要跟中國打仗，跟你中國人打仗，我們派你去打仗，你去不去？」我說：「你怎麼答覆的呢？」他答覆：「去嘛！當然去。」我說：「你這樣答覆，非佛弟子。」他很驚奇問：「我應該怎麼答覆？」我說：「你應該答覆，我希望你不打仗。你派我打仗，我不去，不歸化了，就算了。」爲了羅刹鬼子母，要你歸化，你也歸化他，大家想一想，你可能不會被問到這種問題，但也許會有問到這個問題的機會。

凡是危害人的事，我不會作，畜生我們也不作。要我們去殺畜生，我們也不會去殺。連羅叉、夜叉，最惡的鬼，他都這樣的，何況我們是人？無論你入哪一個國籍，讓你去殺中國人。你能發這個願嗎？注意，不要爲了眼前的利益，失掉未來好多的幸福。要是認爲這是說話，沒有關係。唉！你可不要以爲只是說話，入籍時候的宣誓不是發願，而是誓願。宣誓完了，你不去作，你就是妄語，去作了，你又傷害人，連傷害畜生都不可以。

「善男子！當觀如是過去羅刹，雖受無暇餓鬼趣身」，「無暇」就是使學佛法的人沒有閒暇，身體的受苦無暇。像道友們，有時都是無暇的，受無暇的這個災難，自己想修行，不可能的。

「無暇」，有好多人發願圓滿聽完這部經，一座不缺，不可能的。你還得作事，作事你就得離開這兒。或者因爲病苦離開，或者因爲事情離開，或者公司忙離開，不能聽，這是懈怠、不精進，那是過去的業，或者因爲業障，障住了，沒有辦法，這是小事。勇猛精進一下就能作到的。「八無暇十圓滿」，想求得這麼一個人身，都不可能的。

以我爲例，我住了幾十年的監獄，我還是想學佛法，禮拜、懺悔都不可能了，沒有那個機會給你，這叫無暇。你想得個圓滿身，很不容易的。他本來是當了羅剎鬼，已經無暇，是餓鬼。他能夠見著這人而不吃，這是很不容易的。他是依靠吸人精氣、飲噉血肉的，他的惡心是非常的猛厲，他沒有什麼慈悲的觀念。而觀一個沒有戒的剃除鬚髮的，只以一片袈裟掛頸的人，他還能右遶，還能尊敬他，頂禮他，恭敬讚歎，消除損害心了。

「然未來世有剎帝利旃荼羅王，宰官居士長者沙門婆羅門等旃荼羅人，心懷毒惡，無有慈愍，造罪過於藥叉羅剎，愚癡傲慢，斷滅善根。於歸我法而出家者，若是法器，若非法器，剃除鬚髮被服袈裟諸弟子所，不生恭敬，惱亂呵罵，或以鞭杖楚撻其身，或閉牢獄，乃至斷命。此於一切過去未來現在諸佛犯諸大罪，斷滅善根，焚燒相續，一切智者之所遠離，決定當生無間地獄。」

這些旃荼羅人作惡，比羅刹、藥叉還過份。「愚癡傲慢」，他沒有智慧，自己沒有智慧，還是很驕傲。「斷滅善根。於歸我法而出家者，若是法器，若非法器」，法器就是清淨的好比丘，非法器就是破戒的比丘，但是他只要剃除了鬚髮，被服袈裟的諸弟子所，在他們的前面，「不生恭敬，惱亂呵罵，或以鞭杖楚撻其身，或閉牢獄，乃至斷命，此於一切過去未來現在諸佛犯諸大罪」。在三世佛前犯了最大的罪惡，斷滅善根，過去有點善根，經過這次就斷滅了。「焚燒相續」，這是形容詞。「一切智者所遠離，決定當生無間地獄」，要是犯這種罪的時候，那是決定了，下無間地獄。

「又善男子！昔有國王，名超福德，有人犯過，罪應合死，王性仁慈，不欲斷命。有一大臣，多諸智策，前白王曰：願勿爲憂，終不令王得殺生罪，不付魁膾令殺此人。時彼大臣，以己智力，將犯罪人，付惡醉象。時惡醉象，以鼻卷取罪人兩脛，舉上空中，盡其勢力，欲撲於地，忽見此人裳有赤色，謂是袈裟，心生淨信，便徐置地，懺謝悲號，跪伏於前，以鼻拉足，深心敬重，瞻仰彼人。大臣見已，馳還白王。王聞喜愕，歎未曾有，便勅國人加敬三寶。因斯斷殺，王瞻部洲。善男子！當觀如是過去醉象，雖受無暇傍生趣身，而敬袈裟，不造惡業。」

這都是講故事的，在故事當中，啓發我們生起信心。過去有位國王，國王的名字叫超福德，有人犯罪，「罪應合死，王性仁慈，不欲斷命」，他不肯殺這些罪人，不欲斷命，就是免除死刑的意思。雖然犯了很大的過惡罪，應該受死刑的，就把他放逐。

「有一大臣多諸智策」，有一位大臣很有智慧、有策略，他就向這位超福德國王說，「願勿爲憂」，國王！你不要爲這個發愁，我會令王得到不殺罪，也就是雖然不殺，但也能夠處罰他。

「不付魁膾，令殺此人」，「魁膾」就是劊子手。這位大臣，就以他的智慧力，把這個犯人，「付惡醉象」，要一個畜生去執法，這隻象是很凶的，拿酒把這個象灌醉了，人醉了都會失掉人性，那象醉了也失掉牠的本性。這隻象就用鼻子把這個罪人，「卷取兩脛」，兩脛就是兩跨股那樣子，把他卷起中間，「卷舉空中」，用象鼻子把他舉高高的。

「盡其勢力」，那隻象使盡了力氣，想把他撲到地下來，把他從高處摔下來。但是這隻象忽然發現這個人身上穿的衣服是紅顏色的，「忽見此人裳有赤色」，裳就是衣裳，他的服裝有顏色，牠以爲是袈裟，這個惡醉象就生起淨信心。「便徐置地」，就慢慢的輕輕的把他放到地下來。

「懺謝悲號」，這隻象就向這個人懺罪謝過，悲哀的哭，號是大聲的哭泣。「跪伏於前」，跪在這個人前面，「以鼻拄足」，拿牠的鼻子蹭他的腳，蹭這個罪人的腳。「深心敬重」，「瞻仰彼人」。「大臣見已，馳還白王」，這大臣看見很奇怪，就向國王說。「王聞喜愕」，王也很驚訝，有這等事。

「歎未曾有」，讚歎希有。便「勑國人加敬三寶，因斯斷殺。」這個國家從此斷了不殺生，都持不殺戒。善男子當觀如是過去醉象，雖受無暇傍生趣身。前面是餓鬼，這是畜生，三惡道的畜生都對披赤袈裟的罪人生起這麼大的恭敬心，「而敬袈裟，不造惡業。」可是人並不是這樣。

「然未來世有剎帝利旃荼羅王，宰官居士長者沙門婆羅門等旃荼羅人，心懷毒惡，無有慈愍，造諸罪業，過惡醉象，愚癡傲慢，斷滅善根。於歸我法而出家者，若是法器，若非法器，剃除鬚髮被服袈裟諸弟子所，不生恭敬，惱亂呵罵，或以鞭杖楚撻其身，或閉牢獄，乃至斷命。此於一切過去未來現在諸佛犯諸大罪，斷滅善根，焚燒相續，一切智者之所遠離，決定當生無間地獄。」

未來是什麼時候？可能就是我們現在這個時候，現在叫末法。現在的社會，事實是不是這樣子？像我們有佛法的地方，還懂得什麼叫三寶，沒佛法的地方根本不懂得什麼叫三寶。廈門南普陀寺的塑像，中間是釋迦牟尼佛、藥師佛、阿彌陀佛三聖像，他兩邊塑的是護法，一個是帝釋天，一個是大梵天，也就是大梵天主，也就是天主。我們看見那個相，其他的地方不像南普陀寺那麼顯眼，大梵天也是護持佛法的、請法的，專門護持佛法的。

我看過幾個美國出家人，他們自己打工，賺了錢，賺到一定的程度，就到閉關中心去閉關，交壹萬塊錢閉三年三月三天。有的人，他下半天去打工，上半天去學法。沒有三寶的國家，現在是還多，像大陸跟台灣是有三寶的，是不是對比丘恭敬呢？多數人還是恭敬的，還是有一些人不恭敬的。對於破戒的比丘，不修行的比丘，不修行的比丘尼，他是謗毀的。那就讀讀《大集十輪經》，如果信的話，可能要好一點，不信的話還是照樣的，這是佛說的。這些人，乃至於王臣民，「心懷毒惡」，沒有慈愍，他照樣作，比那個惡醉象還厲害，斷了善根。

依我法而出家的，或者是法器，或者非是法器，剃除鬚髮的被法服的，諸弟子的不生恭敬，沒有恭敬心，惱亂呵罵，甚至於鞭杖楚撻閉牢獄。這在解放初期的時候是相當的多，那個時候對寺廟裡的出家人，一律迫使你罷道還俗，一直到八零年落實宗教政策，才又恢復了。那寺廟又發放還給和尚，一落實政策，要找和尙，找不到了，就把那些還俗安家的和尙找回來。最初的時候，從八一年到八三年，是這樣的情況，穿在家的衣服上班了，到了寺廟上班，袍子衣被上。有事被上，完了是下班。那袍子衣往那一掛，回家去了。現在就不行了，在八三年之後，政策更進一步落實，僧像僧，廟像廟，從這個時候才又恢復原狀。

「若刹帝利旃荼羅王，乃至沙門婆羅門等旃荼羅人，成就如是第三惡輪。由此因緣，令護國土一切天龍藥叉神等，信敬三寶無動壞者，於刹帝利旃荼羅王，乃至沙門婆羅門等旃荼羅人，心生瞋忿。廣說乃至彼刹帝利旃荼羅王，宰官居士長者沙門婆羅門等旃荼羅人，不久便當肢體廢缺，於多日夜結舌不言，受諸苦毒，痛切難忍，命終定生無間地獄。」

這是總說的，上面並沒有這樣分，都是惡輪。

「復次善男子！於未來世此佛土中，有刹帝利旃荼羅王，宰官居士長者沙門婆羅門等旃荼羅人，隨惡友行，善根微少，廣說乃至不見不畏後世苦果。見有所施四方僧物，謂諸寺舍，或寺舍物，或諸園林，或園林物，或諸莊田，或莊田物，或所攝受淨人男女，或所攝受畜生種類，或所攝受衣服飲食，或所攝受床座敷具，或所攝受病緣醫藥，或所攝受種種資身應受用物，如是所施四方僧物，具戒富德精進修行學無學行，乃至證得最後極果清淨苾芻所應受用。」

總說是不相信因果的報應。不過，講民主的國家還是信因果的，只是不像佛教信得懇切。但是他要作好事，西方國家是保護動物的，不過，他不是徹底的保護，也不是持不殺戒的保護。但總是有好處的。他是保護這個禽獸，愛護畜生，那也有仁慈心，他對未來的苦果還有所畏懼的。這是指什麼呢？上面是對人說的，現在是對物說的。這些惡人、惡王，他把這個供養四方僧人的物品，或者寺舍，或者寺舍物，或者是園林、園林物，或者莊田、莊田物，或於攝受的淨人男女。這國王乃至大臣，奪僧伽物是相當的多。

大家如果到過北京，北京有一間潭柘寺，座落在北京的郊區，土地差不多有一半都是潭柘寺的。那時候在廟裡吃飯的和尚大概有三千多人，七處吃飯，七處開梆，九處上殿。現在有些毀壞了，又重修了。

奪寺廟的田園，奪廟裡的房舍，造了這個罪要受報的。淨人男女是這樣子，寺廟裡都是女人，那麼大的寺廟住的都是男人，怎麼叫淨人呢？他發心，作義工似的，在廟裡住，在廟裡吃，在廟裡莊園裡頭作工，或者是照顧這個寺廟裡頭，打掃清潔衛生，或者放生，由他看守。像鼓山的園林那麼多，山上果樹，橘子樹就有幾萬顆，得有人摘，有人經營，這都叫淨人。寺廟煮飯的，作一切雜工的，都是淨人。比丘不能作，比丘作是犯戒的。這是那個時候，現在都得自己作了，佛教傳到中國來的時候，都是自種自吃，和尚自己種地，自己燒飯，自己生活，這得隨著我們國家法律的制度。凡是剝奪僧物的，你要受報的，一定會受報的。

在寺廟裡還有很多的東西，或攝受畜生的種類，或所攝受的衣服飲食，或所攝受的床座敷具，或所攝受的病緣醫藥，或所攝受的種種資身應用物，如是的所施四方僧物，具戒富德精進修行，學與無學行，乃至於證得最後極果，清淨苾芻所應受用。上面的這些物品，乃至於動植物，植物就是園林，動物屬於寺廟的。有的寺廟還有驢馬，因爲他們有莊園，莊園一定有驢馬，有牛，這都是屬於寺廟的。

還有人家放生物，這個山場裡頭大多數都是山，就放到那山上。那山場是屬於寺廟的，也就是和尚所屬的一切。乃至於人，乃至於物，這些都屬於有道德的、精進修行的、有學位沒學位的，他們所共有享受的。「有學」，就是未證得四果，「無學」，證得四果位，到了無學位就是證得極果。這些是清淨比丘所應受用的。

「彼剎帝利旃荼羅王，乃至沙門婆羅門等旃荼羅人，以強勢力，侵奪具戒清淨苾芻，不聽受用，迴與破戒惡行苾芻，經營在家諸俗業者，令共受用，或獨受用。破戒苾芻既受得已，或共受用，或獨受用，或與俗人同共受用。由是因緣，令護國土一切天龍藥叉神等，信敬三寶無動壞者，於剎帝利旃茶羅王，乃至沙門婆羅門等旃茶羅人，心生瞋忿。廣說乃至彼剎帝利旃茶羅王，宰官居士長者沙門婆羅門等旃茶羅人，不久便當肢體廢缺，於多日夜結舌不言，受諸苦毒，痛切難忍，命終定生無間地獄。」

旃茶羅沙門就是破戒比丘，如果大家看過〈影塵回憶錄〉就可以知道。倓虛老法師去接法源寺，就跟那些惡比丘打官司，他們想掠奪法源寺的寶物。那就是清淨比丘跟惡比丘打官司。那時候東北軍還在東北，楊凌閣是歸依倓老法師的，雖然有勢力，倓老法師並沒有那麼作，後來還是把這間廟交給那些比丘。

這些惡比丘怎麼樣呢？他得了這些東西，或者是惡比丘共受用，或者是他自己獨受用，或者與俗人、與那些淨人、與在家人共同受用，或者與旃茶羅那些惡人共同受用。因爲這個因緣就惹了護法神，護國土的那些天龍藥叉神等，信敬三寶無動壞的，他們就生起瞋恚心。

於這個剎帝利，於這個「剎帝利旃荼羅王，乃至沙門婆羅門等旃荼羅人心生瞋忿。廣說乃至彼剎帝利旃荼羅王，宰官居士長者沙門婆羅門等旃荼羅人，不久便當肢體廢缺。」

佛不是咒詛他，佛是看見因果報應，他一定要受這苦難的。不然你會說佛也咒詛人，這就像讀〈普門品〉的時候，如果拿毒藥害人家，還自受，你自己就服用了。有人就問我說：「大悲觀世音菩薩不慈悲！」我說：「爲什麼？」他說：「〈普門品〉說，毒藥害人的時候，觀世音菩薩還讓他自己服毒藥，讓他自己受害。」我說：「這不是觀世音菩薩的意思，你解釋錯了經義，那是他自受報。」像這裡佛所說的是，不久便當肢體廢缺，這是佛看到他要受這個報的。

乃至「於多日夜結舌不言，受諸苦毒，痛切難忍，命終定生無間地獄。」活著受點罪，那還是好受的，比無間地獄還好受多了，死後一定下無間地獄，這個道理要正確了解，不然會說佛咒詛這些人都下無間地獄，並不是這樣的意思。佛看到他的報，佛都不能救他，犯了這個罪，佛所不能救。

所以，地藏菩薩最後發願要救他，說了這麼多，就是顯地藏菩薩的大慈大悲，這是《十輪經》，專顯地藏菩薩的大願，地藏菩薩到這些地方，專救這些人。

「復次善男子！於未來世，此佛土中，有刹帝利旃荼羅王，宰官居士長者沙門婆羅門等旃荼羅人，隨惡友行，善根微少，廣說乃至不見不畏後世苦果。見依我法而出家者，聰叡多聞，語甚圓滿，或能傳通聲聞乘法，或能傳通獨覺乘法，或能傳通無上乘法，令廣流布，利樂有情。彼於如是說法師所，呵罵毀辱，誹謗輕弄，欺誑逼迫，惱亂法師，障礙正法。」

前面的惡輪是奪僧伽物，這個惡輪是跟惡人掛鉤，也就是不畏後世苦果的人掛鉤。看見那依法而出家者，「聰叡多聞」，叡是明白的意思，是有智慧的意思。多聞就是佛法聽的多，他就開了智慧。

「語甚圓滿」，圓滿就是他說法，解釋佛所說的法，使法住世，使人得利益，或者是能夠傳達通達的聲聞乘法。下面就是語甚圓滿的意思。或能傳通獨覺乘法，或能傳通無上乘法，就是大乘法令廣流布，使三乘法廣宣流布，利樂有情。「彼於如是說法師所，呵罵毀辱，誹謗輕弄，欺誑逼迫，惱亂法師，障礙正法。」不許他說法，惱亂他。

「由是因緣，令護國土一切天龍藥叉神等，信敬三寶無動壞者，於刹帝利旃荼羅王，乃至沙門婆羅門等旃荼羅人，心生瞋忿，廣說乃至彼刹帝利旃荼羅王，宰官居士長者沙門婆羅門等旃荼羅人，心生瞋忿，廣說乃至彼刹帝利旃荼羅王，宰官居士長者沙門婆羅門等旃荼羅人，不久便當肢體廢缺，於多日夜結舌不言，受諸苦毒，痛切難忍，命終定生無間地獄。」

由於這個因緣，令維護這國土的、維護這個國家人民的一切天龍藥叉神等，信敬三寶無動壞的，於刹帝利旃荼羅王乃至沙門婆羅門等旃荼羅人心生瞋忿，廣說乃至彼刹帝利旃荼人，宰官居士長者沙門婆羅門等旃荼羅人，心生憤恨。生了憤恨，這些刹帝利的旃荼羅王，不久就肢節廢缺。肢節就是四肢殘缺不全，或者出了車禍，或者從山上掉下來，或者去旅遊，乃至於掉到水裡去，都是肢節不全的表現。

現在這個也變化了！我有這一次朝五台山的時候，從江邊上一直到寺廟裡這麼長的路，兩邊儘是討口的，那種種形相，你看了，會使你害怕。或者半邊臉，或者一個眼睛，或者是那拐的也不同，左邊手是抓的，右邊腿又是撇的，種種奇形怪狀，你想像不出來。現在沒有了，是不是作惡的沒有了？這種現象沒有了呢？不是，以前可能是菩薩的示現，讓你到那個地方知道懺悔，看見那形相。現在因爲把那個地方當成商業來作，這些人就沒有了，就看不見了。

由於這個因緣，使這個國家不得安寧，那些護法神不護法了。這個國家的怪事橫生，自軍他軍，互相戰爭，災疫流行，人民心裡不安定，乃至於他們不久就肢體廢缺。「於多日夜結舌不言，受諸苦毒」。可以說跟現在的植物人差不多，痛切難忍，命終的時候一定生到無間地獄。

「復次善男子！於未來世，此佛土中，有剎帝利旃荼羅王，宰官居士長者沙門婆羅門等旃茶羅人，隨惡友行，善根微少，廣說乃至不見不畏後世苦果。見有所施四方僧物，寺舍莊田，人畜財寶，花樹果樹，染樹蔭樹，香藥樹等，及餘資身種種雜物。我諸弟子，具戒富德精進修行學無學行，乃至證得最後極果清淨苾芻所應受用，彼刹帝利旃茶羅王，乃至沙門婆羅門等旃茶羅人，以強勢力。」

這是隨惡友行的，受那個惡人的挑唆，惡人的教導，乃至於不畏後世的苦果。見所施給的四方僧物，寺舍的莊田，人畜的財寶，花樹果樹染樹蔭樹香藥樹等。染樹結的果子是酸的，這種樹有兩種作用，那樹生的果子可以染衣服，可以染色。西藏染衣服就是拿草、拿這果子，把它搗碎了。他們是不買染料的，但是它就可以變成紫色的，這種染樹大多數是紫色，尤其是喇嘛的袈裟就是拿這個去染的。

「或自逼奪，或教人奪，或爲自用，或爲他用。由是因緣，令護國土一切天龍藥叉神等，信敬三寶無動壞者，於刹帝利旃茶羅王，乃至沙門婆羅門等旃荼羅人，心生瞋忿。廣說乃至彼剎帝利旃荼羅王，宰官居士長者沙門婆羅門等旃荼羅人，不久便當肢體廢缺，於多日夜結舌不言，受諸苦毒，痛切難忍，命終定生無間地獄。」

這都是重覆的，中間稍微改變一點。在事上、境上，略微改變一點。前後的經文都是一樣的。這是跟惡人一起互相奪僧物的。

「復次善男子！於未來世，此佛土中，有剎帝利旃荼羅王，宰官居士長者沙門婆羅門等旃荼羅人，善根微少，無有信心，諂曲愚癡，懷聰明慢，言無眞實，遠離善友，隨惡友行。於諸聖法，心懷猶豫，不見不畏後世苦果，常樂習近諸惡律儀，好行殺生，乃至邪見，而懷傲慢，誑惑世間，自稱我是住律儀者。彼剎帝利旃荼羅王，乃至沙門婆羅門等旃荼羅人，種種方便，毀滅我法，於歸我法而出家者，數數瞋忿，呵罵毀辱，拷楚禁閉，割截肢節，乃至斷命。我所說法，不肯信受，壞窣堵波，及諸寺舍，驅逼苾芻，退令還俗，障礙剃髮被服袈裟，種種驅使，同諸僕庶。由是因緣，令護國土一切天龍藥叉神等，信敬三寶無動壞者。」

自認爲很聰明，說話不眞實。「言無眞實」，不說眞話。我們有些信佛的弟子道友們問：「師父我們作生意，不說假話，不打點妄語，生意沒辦法作。」我說：「我還沒有到美國的時候，我沒辦法答覆你。到美國之後，我看美國作生意的人，超級市場裡頭，沒有人誰給你說話，你不用問價錢，他都標好了，你要買，你就拿，沒有價錢可講的，你要買就買。」他說：「總批發的要講！」我說：「那個賣東西的人，他是總批發，他就是到那兒去訂一批貨，他也討價還價的。」我說：「那也不是非說瞎話不可，你如實說，不一定非說瞎話才能賺錢。」那就是給他這個信心，不打折扣。如果現在我們所聽到的，不論作生意，乃至不作生意的，他能跟你多說幾句眞話？

師父該不會說假話吧？這裡有惡行沙門，還有旃茶羅沙門，言無眞實，妄言綺語很難斷。爲什麼呢？因爲他「遠離善友，隨惡友行，於諸聖法，心懷猶豫。」他對佛法懷疑，他問：「佛說那話是眞的嗎？」還有一種說法，佛是兩千多年前說的，現在已經不管用，現在是什麼時代？還說兩千多年前的話呢？我說：佛說的貪瞋癡，打妄語就是詐騙。這個時代，不論哪一個國家，你要是把錢騙了，犯罪不犯罪？詐騙犯罪不犯罪？也不可以。說假話還可以嗎？欺騙不可以！還是崇尚誠實。殺盜淫更不說了，殺盜淫，在任何時代、任何朝代、任何國家，怎麼改，殺盜淫都是犯罪的。

「隨惡友行」，他的善心沒有了，他的心變成惡心，他對佛所教導的不大相信。「心懷猶豫」，不大相信。我們有好多道友，在這個問題上，心懷猶疑。有這個意念，在修行當中，他經常懷疑，不能誠懇的信。那你所修的、所行的，想證聖果、斷煩惱，就很困難。雖然種了善根，還不曉得要經過好多年、好多世，得漸漸磨鍊。如果你心裡誠懇的，你就佔了便宜，很快就能夠得度，不一定說是馬上證果，你三生兩生，漸漸的都可以進入，你就能入門。

現在我們都是在佛門外，好像是信佛，實際上沒有入門。原因是什麼呢？「心懷猶豫」。這就像人喝水似的，是熱的還是冷的，你自己會知道。不過，佛是這麼樣說的，我們要相信佛的話，也是不見不畏後世苦果，因爲沒有見到，就不恐怖。好多人是見到才害怕，見到害怕的時候，晚了，來不及了。後悔，悔之晚矣！不要猶疑。你能夠分辨出來什麼是惡友？什麼是善友？連這個還不知道嗎？善惡總該知道，好人、壞人總該知道吧？

但是有些人外在作的是善相，心裡卻是很惡，你就不容易知道。你要多念，多求佛菩薩，占察輪上說：「我親近這個師父，他是不是內裡頭有聖行？他是不是眞正的一個好師父？」你可以知道的！

這是《占察經》說的，你不要說是夢參法師說的，這樣大家又罵我。在《占察善惡業報經》上卷說得很清楚，你要想親近他，或者是跟這個人交朋友，作爲善知識，你看他是不是善知識，善知識的要求是很高的。

在西藏，宗喀巴大師在〈菩提道次第〉中提到的善友，要具足什麼樣的條件才能夠算是善知識？我們不要求太嚴，現在是末法，沒有辦法，總要好一點的！你先擲一個占察輪，若這個人你不能親近，他內在沒有實德，現在示現的都是假相；或者這個人你可以親近，你能得到利益，《占察經》說得很清楚，你占一下子，就知道了。

「常樂習近，諸惡律儀」，惡律儀就不是佛制的律儀。惡律儀，我們舉個例子，要祭天，祭神，要殺豬殺羊，甚至殺雞。這叫邪知邪見。好行殺生邪知邪見，「而懷傲慢，誑惑世間，自稱我是住律儀者」，自己還說自己是持戒的。

「彼剎帝利旃荼羅王，乃至沙門婆羅門等旃荼羅人，種種方便，毀滅我法」。他想種種方便，總想毀滅佛法，甚至於他也說藥師法，也講《藥師經》，也拜藥師懺，總要把邪知邪見加進一些。把道教的，乃至邪道的，巫教的，他都要加進一些。那麼漸漸的，使衆生分別不出來，哪是眞，哪是假，哪是佛教，哪是道教，分不出來，這就是毀滅。

「於歸我法而出家者，數數瞋忿，呵罵毀辱，拷楚禁閉，割截肢節，乃至斷命。」我所說的法，不肯信受，「壞窣堵波」，也就是壞寺廟。「及諸寺舍」，這個寺廟是專指塔的，底下叫寺舍，也就是寺廟的精舍，這是翻譯的。佛經的梵文，絕不是寺，這是我們翻譯的。阿蘭若，或者僧伽藍，之所以翻譯成寺，因爲我們中國是用寺來形容。「驅逼苾芻，退令還俗」，不止現在，在唐朝的時候，唐武宗就開始驅逼比丘還俗。

「障礙剃髮，被服袈裟」，不許你出家，就是種種驅使。「同諸僕庶」，把驅使出家人，驅使沙門，當成奴僕一樣，這都是事實。

「於刹帝利旃荼羅王，乃至沙門婆羅門等旃荼羅人，心生瞋忿，廣說乃至彼刹帝利旃荼羅王，宰官居士長者沙門婆羅門等旃荼羅人，不久便當肢體廢缺，於多日夜結舌不言，受諸苦毒，痛切難忍，命終定生無間地獄。」

這些話，那些人永遠聽不到，聽到也不信。《大集十輪經》，他能聽得到嗎？他聽不到。過去講大乘法的，說這些話好像是也恐怕得罪人。當時要得罪那些國王，得罪那些大臣，這裡頭包括沙門、婆羅門，乃至於信奉佛法的，都包括在內，都應當檢查，是不是有這些事？這部經開演的時候很少，我們就照經上這樣說。

「善男子！若剎帝利旃荼羅王，宰官居士長者沙門婆羅門等旃荼羅人，於上所說十種惡輪，或隨成一，或具成就，先所修集一切善根，摧壞燒滅，皆為灰燼，不久便當肢體廢缺，於多日夜結舌不言，受諸苦毒，痛切難忍，命終定生無間地獄。此剎帝利旃荼羅王，宰官居士長者沙門婆羅門等旃荼羅人，於當來世，下賤人身尚難可得，況當能證二乘菩提，無上大乘於其絕分。如是惡人，大乘名字尚難得聞，況當能證無上佛果。是人究竟自損損他，一切諸佛所不能救。」

那十種惡輪說完了，這裡頭沒有分，而是總的。「或隨成一，或具成就」，十輪都有，或者只有一個，那麼你所修習的「一切善根，摧壞燒滅」，以前的善根都被你這個惡輪毀滅了。

「皆為灰燼，不久便當肢體廢缺，於多日夜結舌不言，受諸苦毒，痛切難忍，命終定生無間地獄。此剎帝利旃荼羅王，宰官居士長者沙門婆羅門等旃荼羅人，於當來世，下賤人身尚難可得」。想再轉人身是不可能的，要轉下賤人也辦不到。況當能「證二乘菩提，無上大乘與其絕分」，他就沾不到邊，對佛法沾不到邊。

「如是惡人，大乘名字尙難得聞」，連大乘的名號，《妙法蓮華經》、《大方廣佛華嚴經》，乃至於《金剛經》、《地藏經》、《大集十輪經》，一切經的名字都聞不到，連經的名字尙難得聞，還能夠證到佛果嗎？「是人究竟自損損他」，就是自害自己也害他人。

「一切諸佛所不能救」，要具足這十惡輪，隨具一輪，佛都沒有辦法救你。不過，地藏菩薩就到這個地方來救你。你下無間地獄，地藏菩薩就在地獄等著你，到那兒救你。是不是無間地獄的衆生，地藏菩薩一說法，他就聽見了？也不見得信，還得結個緣。過去無量生都沒有這個因緣，那沒因也沒有緣。破戒比丘，就是有這點好處，他跟三寶結了緣，他眞正信受了，還有餘威，還有餘德，還有這個種子。所以，佛說他還能得救，你不要對他輕視，是這個涵義。

「善男子！譬如有人壓油爲業，一一麻粒皆有蟲生，以輪壓之，油便流出。汝當觀此壓麻油人，於日夜中殺幾生命？假使如是壓麻油人，以十具輪相續恆壓，於一日夜，一一輪中，所壓麻油，數滿千斛，如是相續，至滿千年，汝觀此人殺幾生命？所獲罪業寧為多不？地藏菩薩摩訶薩言：甚多，世尊！甚多，大德！此人所殺無量無邊，所獲罪業不可稱計，算數譬喻所不能及，唯佛能知，餘無知者。」

大家可能看過榨油的油輪。一一麻粒，就是一顆一顆的，或者芝麻，或者菜籽。那個麻粒都上面有都會生蟲子，很小很小的，你的肉眼很難看到，而且很多。他拿那個輪去壓，或者菜籽，或者芝麻，那油就出來了。「汝當觀此壓麻油人，於日夜中殺幾生命？」你說他一日一夜殺好多？他這個工房有十個壓油的機器，日夜不停的這樣作，那麼一一輪所壓的麻油，就是千斤，「如是相續，至滿千年」，一直壓了一千年。這人殺了好多生命？「所獲罪業寧為多不？」

這一段是地藏菩薩請法，佛對地藏菩薩說的，不要忘了當機眾。佛就問地藏菩薩說：「你說多不多？」地藏菩薩說：「甚多，世尊！甚多，大德！」此人所殺的衆生無量無邊，所獲的罪業是沒有辦法稱計的，算數譬喻所不能及。這是譬喻他的罪惡。「唯佛能知，餘無知者」，只有佛才能知道，其他的人都不能知道的。

「佛言：善男子！假使有人，爲財利故，置十婬坊，一一坊中，置千婬女，一一婬女，種種莊嚴，誑惑多人，恆爲欲事。如是相續，至滿千年，此人獲罪不可稱計，算數譬喻所不能及。如前十輪壓油人罪，等一婬坊所獲罪業。又善男子！假使有人，爲財利故，置十酒坊，一一坊中，種種嚴飾，方便招誘千耽酒人，飲興歡娛，晝夜無廢，如是相續至滿千年，此人獲罪不可稱計，算數譬喻所不能及。如前所說十婬坊罪，等一酒坊所獲罪業。又善男子！假使有人，爲財利故，置十屠坊，一一坊中，於一日夜，殺害千生，牛羊駝鹿雞豬等命。如是相續，至滿千年，此人獲罪不可稱計，算數譬喻所不能及。如前所說十酒坊罪，等一屠坊所獲罪業。如前所說十屠坊罪，等剎帝利旃荼羅王，乃至沙門婆羅門等旃荼羅人，於前十惡隨成一輪，一日一夜所獲罪業。」

開妓院，開十個妓院。一個妓女院，置上一千個婬女。她還迷惑了很多人，「恆爲欲事」，作這不淨行。「如是相續，至滿千年，此人獲罪不可稱計，算數譬喻所不能及。如前十輪壓油人罪，等一婬坊。」十輪的壓油的人，十個罪惡只等於一個婬坊，所獲的罪業。這婬坊比前面的，就重十倍，後者都比前者的重十倍。

「假使有人，爲財利故，置十酒坊」。在菩薩戒裡頭，賣酒是根本戒，喝酒是輕微。賣酒，你迷惑別人。「一一坊中種種嚴飾，方便招誘千耽酒人」，一千個耽酒人沈迷於酒中，飲酒作樂。「飲興歡娛，晝夜無廢」，賣酒的地方，黑夜白日都在賣。「如是相續至滿一千年」，此人的獲罪不可稱計，算數譬喻所不能及。如前所說的十婬坊罪，等一酒坊所獲的罪業。開十個婬坊的罪，就等於一個賣酒的酒坊的罪。

那屠宰坊的罪更大。十個屠坊的罪惡，等於這些旃荼羅王，乃至沙門旃荼羅婆羅門的旃荼羅人，他們這十輪成一輪，不是十輪都成了，那更不得了。十輪成一輪的，一日一夜的罪惡，等於十屠坊的罪，十酒坊才等於一屠坊。

「爾時世尊而說頌曰：

十壓油輪罪　等彼一婬坊　置彼十婬坊　等一酒坊罪

置十酒坊罪　等彼一屠坊　置彼十屠坊　罪等王等一」

這等於是總結。由是十屠坊的罪，就是這個刹帝利王，乃至沙門婆羅門等旃荼羅人，他們的一個罪，一個惡輪的罪，乃至於他作惡輪還不是長久，一日一夜，這是前面所說的惡輪，由一個罪業就是無量無邊。

要是這麼大的罪業，什麼時候離開無間地獄？為什麼作惡的人這麼多呢？世界上的人還是很多，輪流的轉，畜生道又出來了，畜生多還是人多？大家想想看！就拿一種畜生，螞蟻，你說：「我們南贍部洲有好多螞蟻？」不講其他的，螞蟻有好多，超過我們六十億人口多少倍？還有其它的，他們漸漸的，報受盡了，又轉人來了，地獄的、鬼道的，所有其它的諸道都要轉人。天道的，有時，天的善業未盡，他又來到人間的。有些人說，天人轉世，餓鬼出來的、地獄來的，跟天人來轉人的，絕對不同。

這些惡業，像旃荼羅王，旃荼羅沙門，旃荼羅婆羅門，一切的旃荼羅衆生，就是惡的意思，行惡的衆生，作一惡業，受苦無量劫。我們如果想到這個，你還敢作惡？當你起心動念的時候，前念起了，後念馬上遮止了。

你想到《大集十輪經》上說的，就跟其他經說的不一樣，沒有《大集十輪經》說的這麼鮮明。我最初想講《大集十輪經》，想了一兩年，還是不敢講。連我自己都恐怖，還講給人家，擔心人家生起恐怖感，或者還容易招謗。認爲佛這麼不慈悲，說的這麼惡，這麼凶，佛不是大慈悲？正因爲他大慈大悲，他才告訴你這件事可作不得，你要是作了，我沒有辦法救你，就這樣告訴你，佛菩薩都沒有辦法救。不過，後面地藏菩薩還是發願去救他，但是救不了的，還是很多，能救的還是少數。

「爾時地藏菩薩摩訶薩復白佛言：大德世尊！若有眞善剎帝利，眞善宰官，眞善居士，眞善長者，眞善沙門，眞善婆羅門，如是等人，能自善護，亦善護他，善護後世，善護佛法出家之人，若是法器，若非法器，下至無戒，剃除鬚髮，被袈裟者，普善守護，恭敬供養。又能善護聲聞乘法，緣覺乘法及大乘法，恭敬聽聞，信受供養。於住大乘具戒富德精勤修行，乃至住果補特伽羅，能善守護，助其勢力，諮問聽受，歡喜談論，遠離破戒惡行苾芻。於諸所施四方僧物，終不令人非法費用，勤加守護，供四方僧，於窣堵波，及僧祇物，終不自奪，不教他奪，亦不自用，不教他用。於能辯說三乘法人，恭敬供養，加護與力，不令他人誹謗毀辱，尊重安慰諸出家人，信受護持佛所說法，終不破壞諸窣堵波。亦常護持僧伽藍舍，於剃鬚髮被服袈裟出家人所，終不毀廢，於十惡輪自不染習，亦常勸他離十惡輪，具學先王治國正法，紹三寶種，常令熾盛，恆樂親近諸善知識，慈心撫育一切國人，隨其所宜，方便化導，令捨邪法，修行正法。如是眞善剎帝利王，乃至眞善婆羅門等，得幾所福？滅幾所罪？」

這一大段的經文跟前面的經文是相反的。前面是作惡要下地獄，墮無間。這裡是反過來說，如果是這些刹帝利，乃至婆羅門等，供養這些守護佛法僧三寶，他們的福德好大呢？這段經文都跟前面是相同的，一個善，一個惡。地藏菩薩在《大集十輪經》中，請法說法，以他爲主的，所以叫《地藏十輪經》。跟此而來的，前面說了那麼多十惡輪，如果反過來，不作那個惡了，乃至遠離那個惡，他們有好多福德呢？地藏菩薩就是這樣問。這個文字跟前面對照，必需要說一說。

什麼叫眞善呢？眞善就是解脫，眞正得到解脫，乃至於去修，就能證得涅槃，這就是眞善義。眞正修行的，眞正解脫的，乃至信心堅定的，這些刹帝利宰官婆羅門居士長者沙門，這些人自己護念自己，善於護念。我們讀〈淨行品〉，不是有「善用其心」嗎？涵義就是自己能善用其心，不但護持現世，乃至於後世。

以下就是三寶，護持佛，護持法，護持僧人，護持僧人當中，有的是好的，持清淨戒的，有的是非法器，也就是破戒的。前面所說的破戒比丘，乃至下至無戒，只要他剃除鬚髮了，被了袈裟。那麼這些剎帝利，乃至婆羅門恭敬守護，向他們聞法，聲聞乘法、緣覺乘法、大乘法，也就是三乘法，恭敬聽受。信了就能夠領受，受的就說他能行，不只信受而已，還要去作。供養就是布施。

與那個具足清淨戒的，有德的精勤修行人，乃至證果的補特伽羅，也就是初果二果三果四果的，這完全是指小乘法說的，他善於守護，幫助他們修行，就是給他們作護法的意思。還向他請問佛法，歡喜談論，遠離破戒的惡行比丘，這是就好的方面。對於破戒的、不受破戒的比丘的薰染，對於僧伽藍內所得到的四方供養，也就是僧物，他們不非法佔用，也不非法奪得，而且還幫助守護。

那麼，供養的四方僧，乃至於塔，還有僧伽物，就是僧伽藍的大衆供養的物品，「終不自奪」，就是這些剎帝利王，有權勢的大臣，他們自己不去搶，不奪爲己有，亦不自用，也不許其他人奪，也不許他人用。只要能說三乘法的人，他們都要護持恭敬供養，提供給他力量，更能精勤修行。前面說，如果在那兒修行，有那些惡比丘破壞這些寂靜的比丘，也是惡婆羅門，破壞這寂靜比丘，那麼，他就保護他們，安慰這些出家人。信受護持佛所說的法，「終不破壞諸窣堵波」，也就是寺廟，或者塔。

前面講了那麼多十惡輪，他自己不受薰染，不去行惡法。他還勸這些人離開十惡輪，對有染習十惡輪的這些衆生補特伽羅，這些剎帝利灌頂王，乃至於婆羅門，勸他們要離開十惡輪。

「具學先王治國正法」，這就是指這些譬喻，學過去諸佛所說的法寶，這樣才能夠使三寶不斷。紹是繼承的意思，「紹三寶種」，常令佛法僧三寶熾盛，也經常願意親近善知識，慈心撫育一切國人。那麼「隨其所宜」，隨這個修行者，乃至於這些有惡行的比丘，他改正了。改正了也需要護持化導，要採取方便的化導，令他把邪法捨掉，修行正法。

「如是眞善剎帝利，乃至於眞善婆羅門等，得幾所福？滅幾所罪？」增福滅罪，更不論他修道，乃至於在世間上都能夠幸福的生活，都能夠修到出世法。前面說的是這些惡事旃荼羅剎帝利王旃荼羅婆羅門等，他們跟惡比丘破壞淨行的比丘，乃至於迫使他不能修道，造了那麼多罪，都是下無間地獄的。反過來，他是護持佛法僧三寶的，他們又能得到好多好處呢？

「佛言：善男子！假使有人出現世間，具大威力，於日初分，積集七寶，滿贍部洲，奉施諸佛及弟子眾，於日中分，亦集七寶，滿贍部洲，奉施諸佛及弟子眾，於日後分，亦集七寶，滿贍部洲，奉施諸佛及弟子眾。如是日日相續，布施滿百千年，此人福聚，寧爲多不？地藏菩薩摩訶薩言：甚多，世尊！甚多，大德！此人福聚無量無邊，不可稱計，算數譬喻所不能及，惟佛能知，餘無知者。佛言：善男子！如是如是，如汝所說，若有眞善剎帝利王，乃至眞善婆羅門等，於十惡輪自不染習，亦常勸他離十惡輪，所獲福聚，過前福聚，無量無邊，不可稱計。」

這善男子是稱呼地藏菩薩說的。假使有人出現世間，這個人具足很大的「威力」，就是他作的福業，比這個剎帝利灌頂王護持這個善信的，降伏這些惡性的，那麼他的功德好大？也就是說他的功德。佛是從比方說的，一層一層的說譬喻。假使有這麼樣一個人在世間出現了，這個人有很多的威力。

「於日初分」，太陽剛出來，「積集七寶，滿贍部洲」。在日初分，這個人就能夠以他的威力把這七寶跟瑪瑙、珊瑚、琥珀集中了，總共有好多呢？南贍部洲這麼多。在早晨拿這麼多的七寶供養諸佛及弟子眾。「於日中分」，中午亦集七寶滿贍部洲，那個施完了，到了日中分，他又集了七寶滿南贍部洲這麼多。「奉施諸佛及弟子眾，於日後分，亦集七寶，滿贍部洲奉施諸佛及弟子眾。」就這一天，日中、日末乃至日初，這三個時辰，也就是滿南贍部洲的七寶，就等於以南贍部洲的三次集聚這樣七寶，他布施供養了諸佛及諸弟子，還不是一天。

「如是日日相續」，天天如是供養，供養好多時間呢？「滿百千年」，或者供養一百年，或者供養一千年，這是說這個人的福德多不多？就拿這個七寶供養諸佛，每一天三時供養，供養百千年，這個福德多不多？

地藏菩薩就說：「甚多，世尊！甚多，大德！」這個供養不可思議，此人的福聚，「無量無邊，不可稱計」。以數字算，每天都以這樣的三時供養這麼多七寶，他的福德用算數譬喻都算不出來。這種供養福德，「惟佛能知道，餘無知者」，除了佛之外，其他的大菩薩都不能知道。「佛言：善男子，如是如是」，你說的很對很對。

「如汝所說」，像你剛才不是問我嗎？「若眞刹帝利王乃眞善婆羅門等」，他們對於十惡輪自己不去染習，也勸他人離開十惡輪，他所獲得的福德究竟有好大？比我上面所說的這個福德，還「過前福聚」，聚是集聚的意思。說他的福德，集聚的福德，太大了，無量無邊，不可稱計的。但是這個善男子自己不沾染十惡輪，而且還勸人家，也不沾染十惡輪，離開十惡輪，他這個福德過前供養的福德，這是初步的。現在又進一步說：

「又善男子！假使有人出現世間，具大威力，爲四方僧營建寺宇，其量寬廣等四大洲，上妙房舍，床敷衣服，飲食醫藥，資緣充備，令諸如來聲聞菩薩大弟子衆止住其中，精進修行種種善品，若晝若夜，無有懈息，經百千俱胝那庾多歲，供給供養，相續不絕，此人福聚寧爲多不？地藏菩薩摩訶薩言：甚多，世尊！甚多，大德！此人福聚無量無邊，不可稱計，算數譬喻所不能及，惟佛能知，餘無知者。佛言：善男子！如是如是，如汝所說。」

營造僧伽藍所住處，僧人所住處，這座廟有好大呢？營建這個寺院，「寬廣等四大部洲」，四大部洲都成了一間僧伽藍，這個人得有大威力，還有上妙的房舍，房裡頭還有生活的衣具、床、敷，衣服飲食衣，「資緣充備」。反正他生活所需要的東西都很具足，使諸如來，不是一佛兩佛，使諸如來的弟子聲聞菩薩衆，共住這個他所造的寺舍。

「精進修行種種善品」，當然是諸佛菩薩要教導、要說法，說法還有很多衆生，都能夠精勤修行。善品就是佛的教導，如經上所說的。或者習禪定，或者讀誦，或者禮拜。「若晝若夜無有懈息，經百千俱胝那庾多歲」，那庾多是億，百千俱胝那麼多億，「供給供養，相續不絕，此人福聚寧爲多不？」「地藏菩薩摩訶薩言：甚多，世尊！甚多，大德！」世尊說這個人的福聚，無量無邊不可稱計。這是我們可以想像的。我們修一間一般的寺廟，像給孤獨長者給佛修祇園精舍，他在造精舍的時候，第三天的夜摩天也在造宮殿，他在人間的精舍還未造成，那宮殿的福德已經造成了，這僅僅是祇園精舍，祇園精舍是舍衛國的一個園林而已，這個精舍有多大？他量等四大部洲。

這個功德當然比那功德大，死後福德當然也很大。但是出世間的福德跟世間的福德是不一樣的，人天的福德再大也是虛妄的。他拿這個作比喻，就說此人的福聚無量無邊，不可稱計，算數譬喻所不能及，惟佛能知，餘無知者。跟前面一樣的。「佛言：善男子！如是如是」，佛對地藏菩薩說：你說的對，就像你所說的，這樣的福德是無量無邊。

「又善男子！假使有人出現世間，具大威力，爲四方僧營建寺宇，寬廣量等十四大洲，上妙房舍，床敷衣服，飲食醫藥，資緣充備。令諸如來聲聞菩薩大弟子眾止住其中，精進修行種種善品，若晝若夜，無有懈息，經百千俱胝那庾多歲，供給供養，相續不絕，此人福聚寧爲多不？地藏菩薩摩訶薩言：甚多，世尊！甚多，大德！此人福聚無量無邊，不可稱計，算數譬喻所不能及，惟佛能知，餘無知者。佛言：善男子！如是如是，如汝所說。」

前面說四大洲，這裡多了兩倍半，也建造上妙的房舍床敷衣服飲食醫藥，資緣充備，令諸如來聲聞菩薩大弟子等，止住安樂的在那兒修行，乃至於說法度衆生，晝夜都沒有懈怠，經百千俱那庾多歲，供給供養，相續不絕。不是一天兩天，無窮無盡的時間，這個人的福聚多不多呢？

地藏菩薩摩訶薩說：「甚多，世尊！甚多，大德！」此人的福聚無量無邊，不可稱計，算數譬喻所不能及，惟佛能知，餘無知者。佛言：「善男子！如是如是，如汝所說。」你說的很對，這個福德是無量無邊的。

「又善男子！假使有人出現世間，具大威力，爲佛舍利起窣堵波，嚴麗高廣，量等三千大千世界，如前所說爲四方僧造寺福聚，類此所說爲佛舍利起窣堵波所獲福聚，於百分中不及其一，於千分中亦不及一，於百千分亦不及一，於俱胝分亦不及一，那庾多分、數分、算分、計分、喻分，乃至鄔波尼殺曇分，亦不及一。」

爲什麼加個「具大威力」呢？若沒有那種力量，怎麼能造得成？這個人的福德也是不可思議的。又爲佛的舍利起窣堵波，建造舍利塔，這個塔造的量，三千大千世界那麼大，那麼廣，那麼高。如前所說，爲四方僧造寺的福聚，類此所說，爲佛舍利起窣堵波，所獲的福聚，「於百分中不及其一，於千分中亦不及一，於百千分亦不及一，於俱胝分亦不及一，那庾多分、數分、算分、計分、喻分，乃至鄔波泥殺曇分」，「鄔波尼殺曇」就是極少分，極少數，極少數，「亦不及一」。

這就是翻過來說的。怎麼叫翻過來說呢？前面先說這個數字，而後又拿這個剎帝利，剎帝利善王，眞善剎帝利，他自己不沾十惡輪，勸人家也不沾十惡輪，遠離十惡輪，功德一個一個比。現在又翻過來說，翻過來說就是不再先說那個眞善剎帝利王，也就是那個功德，眞善剎帝利王，他所作的福德就像給佛造的舍利這麼多的功德，都趕不上他眞善王的一分功德，也就是遠離十惡輪的，勸人家遠離十惡的功德，不但十分中不及其一，百分不及其一，乃至俱胝分也不及其一。

「那庾多分、數分、算分、喻分，乃至鄔波尼殺曇分也不及其一。」大家知道這段經文問的意思，就是顯遠離十惡輪的功德福德。佛越說越深，越深越多，越說越多。那個遠離十惡輪，乃至教人家遠離十惡輪的福德，簡直不可稱計的，比什麼福德都大，因爲這是出世間法，了生死，從此就一了永了，再不作惡了，是這樣一個涵義。

「又善男子！假使有得波羅蜜多，具八解脫靜慮等至大阿羅漢，遍滿三千大千世界，如稻麻竹葦甘蔗叢林，一切皆被堅縛五處。經百千年，時有一人出現於世，具大威力，樂福德故，悉解被縛諸阿羅漢，香湯澡浴，奉施衣鉢，經百千年，給上房舍床敷衣服飲食醫藥，種種所須，如法資具。諸阿羅漢般涅槃已，供養焚燒，收取舍利，以妙七寶起窣堵波，安置其中，復以種種寶幢旛蓋香花伎樂而供養之。如前所說爲佛舍利起窣堵波所獲福聚，類此所說解阿羅漢供養福聚，於百分中不及其一，於千分中亦不及一，於百千分亦不及一，於俱胝分亦不及一，那庚多分、數分、算分、計分、喻分，乃至鄔波尼殺曇分，亦不及一。」

這就是說一個少分的功德，也比不上刹帝利王極少分的功德。

「善男子，若有眞善刹帝利王，乃至眞善婆羅門等，於十惡輪自不染習，亦常勸他離十惡輪，所獲福德，過前福聚無量無邊不可稱計，如生福數，滅罪亦爾。」

這個眞善婆羅門十惡輪自不染習，亦勸他人不染習，所獲的福德，過前福聚無量無邊不可稱計，前面乃至於造塔廟，乃至於一個一個、一層一層越來越大越來越多，都不如這個眞善婆羅門等，自不染習這十惡輪，亦勸他離十惡輪，所獲的福德「過前福聚無量無邊不稱計，如生福數，滅罪亦爾」。

他在生的時候，福德不可思議，消滅罪惡亦爾，也像這個福德一樣。也就是說，他可以逐漸成佛，離十惡就是十善了。十惡跟十善有點差別，這是什麼呢？他讓一切衆生離這個十惡，也就是恭敬供養三寶，住世三寶，使佛法永遠在世間，使衆生法眼不斷，未來衆生得度的越來越多，這是不可計量的。依此推斷，那福德是不可思量的。示現的財寶，乃至於修窣堵波，乃至於所有的供養，這是有限的。爲什麼呢？這還是屬於世間相。讓人離了十惡，那是出世間的。

「善男子！若有眞善刹帝利王，及諸眞善宰官居士長者沙門婆羅門等，於未來世，後五百歲，法欲滅時，能善護持我之法眼，能自善護，亦善護他，善護後世，善護我法出家弟子，若是法器，若非法器，下至無戒剃除鬚髮被袈裟者，普善守護，恭敬供養，令無損惱。又能善護三乘正法，聽受供養聲聞法時，於獨覺乘及大乘法不生誹謗，於獨覺乘及大乘人亦不憎嫉；聽受供養獨覺法時，於聲聞乘及大乘法不生誹謗，於聲聞乘及大乘人亦不憎嫉；聽受供養大乘法時，於聲聞乘獨覺乘法不生誹謗，於聲聞乘獨覺乘人亦不憎嫉，於聲聞乘獨覺乘法不求趣證，唯求趣證大乘正法，於住大乘具戒富德精勤修行，乃至住果補特伽羅，多數親近承事供養，深心敬重，請問聽受。」

這一段經文，佛又舉例來說。如果是離了十惡輪，「若有眞善刹帝利王及諸眞善宰官居士長者沙門婆羅門等」，未來世的後五百歲，這個後五百歲是指最後的五百歲。這有兩種說法，說正法五百，像法五百，末法五百，這是一種說法，也就是一千五。有的說正法五百，像法五百，末法一千歲。有的說，正法、像法一千歲，末法一萬歲。這幾種說法並不相等的。這只是說最後的五百歲。末法一萬年，一萬年過了九千五百歲，還有個五百歲，那個時候法要滅了。

有法的時候，那就說末法的時候還會延續很長，這是法欲滅時，是指最後的五百歲，那五百年當中，在那個時候，不論三武滅佛也好，我們認爲還未到法滅的時候，使這個法能存留世間，他不但自己護持，也善護持他人，也善護持後世的我法的出家弟子。不管是持戒的，不持戒的，是法器非法器，乃至於沒有受戒的，剛把鬚髮剃除，「被上袈裟」，乃至於他這個袈裟是沙彌的袈裟，就跟我們的縵衣是一樣，不是福田衣。

「普善守護，恭敬供養」，遠離十惡輪，這個剎帝利王，「乃至婆羅門等」，他能夠善護於佛法，能使佛法住世，令這些學法者不受損惱，對於三乘正法，平等護持。

後面這些經文，你懂得這麼一個意思就行了。護持聲聞法，他不謗毀獨覺法，不謗毀大乘法。護持獨覺法，不謗毀聲聞法，不謗毀大乘法。那麼供養大乘法的時候，他也不謗毀聲聞法，也不謗毀獨覺法。三乘，他信這乘，不謗那兩乘，要三乘共護。也不憎嫉，也不謗毀，而是平等的供養。要像這個補特伽羅，是住果的，或者住初果、二果、三果、四果，這住果全指是羅漢乘聲聞乘說的，他都「親近供養深心敬重，請問聽受。」

「遠離破戒惡行苾芻，於諸所施四方僧物，終不令人非法費用，勤加守護，供四方僧。於窣堵波，及僧祇物，終不自奪，及教他奪，亦不自用，及教他用。於能辯說三乘法人，恭敬供養，加護與力，不令他人誹謗毀辱，尊重安慰諸出家人，信受護持如來聖教，終不破壞諸窣堵波。亦常護持四方僧寺，於我出家諸弟子所，終不毀廢還俗策使，於十惡輪自不染習，亦常勸他離十惡輪，具學先王治國正法，十善業道，攝化世間，常當親近諸善知識，紹三寶種，常令熾盛，善護法眼，令不滅沒。如是眞善剎帝利王，乃至眞善婆羅門等，由具如是諸功德故，名不虛受國人俸祿，一切天龍藥叉鬼神，乃至羯吒布怛那等皆生歡喜，慈悲擁護一切法器，眞實福田亦生歡喜，慈悲護念。」

遠離破戒惡行的苾芻。惡行的比丘是可以轉化的，這是指不能轉化的，他不聽受的，他於四方所施僧物，不能受用，他受用就是非法的。「勤加守護」，不給這惡行比丘，護持僧衆清淨僧的事物，不讓他們受用。「於能辯說三乘法人，恭敬供養」。那麼所有供養的是什麼呢？就是能夠說三乘法的人，恭敬供養加護與力。

雖然破戒了，他還能夠解釋諸法，也要恭敬供養他，請他說法，也不令他人毀謗，尊重安慰一切出家人。那麼信受護持如來聖教，凡是佛所說的法，也就是佛所教導的都是聖教。大聖人，就是不破壞法，不破壞學法的人，也不破壞窣堵波，不破壞塔寺。有這些人，破壞塔廟，現在我們這邊看不到，如果你去大陸旅遊，不管到哪一個道場，你看看那塔廟被拆的，寺廟被燒毀的，這些所造的罪，是不可思議的。現在這裡說的是好人，什麼好人呢？眞正善信，乃至於刹帝利王、婆羅門等。他不但護持眞正的出家人，也護持這個塔，也護持寺，護持四方的僧寺，僧人所住的廟。

「於我出家諸弟子所，終不毀廢，還俗策使」，他不策使出家人。寺廟毀了，不准出家，強迫他還俗，那就叫「策使」。在一九五〇年的時候，中國大陸有很多的出家人就去打工了，被人策使了。這在西藏，特別的嚴重。爲什麼呢？西藏的喇嘛，他的生活是自己處理的。你修行，在廟裡學經，你要先打工。所謂打工就是給那些貴族家庭去當僕役。貴族人也懂得佛法，他不讓你在他家庭裡給他當奴僕，要你幹什麼呢？跟著他那騾，幫他作生意，護持他作生意的。這些喇嘛都會點武術，也會打槍，也會耍刀，就像我們以前鏢行似的，也有給人打工的，也有給寺廟打工的。給寺廟打工的，揹水，撿牛糞，乃至於人家去修行，坐在那裡去修行念經，你去燒茶。這都是末法現象。我們只看到西藏的寺廟遭受破壞，並不知道什麼原因？這就是僧不像僧，廟不像廟了，就是這個原因造成的。大陸的僧人也如是。反正在毀滅的前因一定有的，不是無緣而生的。

像這樣的惡國王惡羅刹等，乃至惡婆羅門等，那個護法善神不護持。「於十惡輪自不染習」，亦常勸他離十惡輪，具學先王治國的正法，具學諸佛的教導，對佛法說，十善業道，攝化世間，十善業道，有深有淺。我們若是自己能夠不殺不盜、不邪淫、不妄語、不兩舌、不綺語、不惡口，乃至於不起貪瞋癡，自身清淨了，也勸一切衆生都如是，不造十惡業，行十善業，用十善業來「攝化世間，常時親近善知識」。有關善知識在〈菩提道次第〉講的很廣。

「紹三寶種」，使三寶的種性不斷，佛寶的種性不斷，就是有泥塑木雕的，乃至紙畫的，都算是。這個佛寶，是佛寶的化身，我們看見紙塑也好，泥塑的，木雕的，我們就當這是諸佛的化身。佛在忉利天說《地藏經》的時候，去太久了，國王大臣諸大弟子就思念佛，請畫師畫像，畫佛的像。釋迦牟尼佛在天上又回到人間的時候，這個畫像自己就出去迎接佛了。他有他的殊勝，人家才尊敬。你別看他是紙的，別看他是泥塑木雕的，你認爲是眞的就是眞的，如果你心裡認爲那是泥巴，認爲是紙的，那就是紙畫的。

單霞祖師劈佛，要在那佛像裡找舍利，那個和尙跟他說：「那是木頭作的，怎麼會有舍利呢？」這個話不完全對，那是你修行的功力不夠。有的紙像會出舍利，功力夠了，紙像就會出舍利，看一看〈感應錄〉上就有了。經書裡頭出舍利，《華嚴經》裡頭，清涼國師讀《華嚴經》，《華嚴經》就出舍利，舍利會從經書裡掉下來。過去這類的事情很多，這都是因爲道德的感應加持，也沒有什麼稀奇的。你如果去修，也能得到。

有時《大藏經》裡頭，打開藏經誦的時候，會生出舍利。藏經裡哪兒來的舍利？那是護法善神供養的。因此就看修道的人，是以什麼樣的心情來作這件事。這功德是由你心來定的，不是由所作的事情來定的，這個道理大家要知道。知道了之後，當你誦經、學法、聽法的時候，你會有一種心裡的感應，並不是外頭現個什麼相，放個光，那也不見得是眞的。只要你心裡頭斷煩惱，那才是眞的。心裡不煩惱，經常的保持愉快清淨，這就是眞的，這就是你自己的法身顯現。

對外面所見的現象，那都是別人的，不是你的。眞正是你的，是你心裡的清涼，永遠沒有熱惱。人家打你、罵你、侮辱你，你都好，消我的業障。就像《金剛經》說的，被人家輕慢，侮辱了，你前生所作的罪業應該下地獄受報的，這下不受了，重罪輕受，你撿了好大的便宜。

誰要是罵你，你說阿彌陀佛，那個時候你念就恰當了。並不是打電話時，人家問你：「誰呀？」「阿彌陀佛！」那就糟糕，你不是阿彌陀佛，人家問你是誰？現在打電話經常都有，像問：「那位呀？」「阿彌陀佛！」我說：「你是阿彌陀佛呀？」我們有好些弟子，打電話來要跟我通電話，我就問哪一位呀？「阿彌陀佛」，我以爲是阿彌陀佛來給我打電話。有些人認爲，說話答覆念阿彌陀佛，好像我很用功似的，處處都不離開阿彌陀佛，其實心裡不曉得想到哪裡去呢？所以這個法要會善用，要善用其心。

文殊菩薩教導我們，有智慧的人善用其心，不要用錯地方。用錯地方，不但沒有好處，還有壞處。別人聽到，是很輕蔑的，要懂得這個道理。說我們不要念經、拜佛，要求什麼感應、現光，燈前現花，這都不見得給你有多好的事，只是給你增加信心，使你信心更好一點，你沒有得到什麼實在的利益。什麼是得到實際利益？該煩惱的時候不煩惱。在別人，這是受不了的煩腦，在你是歡歡喜喜，無愁無惱，壽命長一點，病也少一點。

所以有病了，還是要治。佛也講治病，但你要知道病因。你過去所作的因，只靠世間的醫藥是不夠的，你得還債。世間醫藥不能夠把什麼病都治好的。你要吃好一點，延長壽命，我看過去帝王將相，哪一個沒有錢？哪一個皇帝吃不好？他的壽命能長嗎？不會的。你去積福，多作點善事，多放點生，你別殺人家，人家自然不殺害你，你不傷害別人，別人不會傷害你。但你處處傷害人家，自然要遭報。好人跟惡人就在這地方劃分的。要眞正的護持佛法，常令三寶熾盛的，就像護持衆生的眼睛一樣的，這叫法眼，令他不沒滅，不沒滅之後，一切衆生就有法可學了。學了之後，他就能悟道了。

「如是眞善刹帝利王，乃至眞善婆羅門等，由具如是功德故，名不虛受國人俸祿」。刹帝利王就是國家、全國人民供養他。那些大臣，「一切天龍藥叉鬼神」，「乃至羯吒布怛那」，神就是神王，這個神王，都生歡喜了，連惡鬼王都生歡喜，「慈悲擁護一切法器，眞實福田亦生歡喜，慈悲護念。」

「由是因緣，所居國土，及諸有情，展轉熾盛，安隱豐樂，鄰國兵戈不能侵害，皆敬慕德，自來歸附。由此展轉勸修善業，枯竭惡趣，增長天人，守護身命，令得長遠；自滅煩惱，亦令他滅，住持菩提道六波羅蜜多，破壞一切衆邪惡道，於生死海不久沈淪，常離惡友，常近善友，生生常遇諸佛菩薩，恭敬承事，曾無暫廢，不久皆當隨心所樂，各各安住於佛國土，證得無上正等菩提。」

這個國家非常的安定，生活非常的愉快，「安隱豐樂」，乃至於鄰國也不能侵害。兵戈「不能侵害，皆敬慕德」，恭敬這個國家，讚歎這個國家的德行。他自然來歸順你，不需要你去爭，不需要討伐，只要是有德者，人家就恭敬你。你用暴力想把人打服了，今天打服了，明天又不服了，又叛了。

唐朝的國勢最強盛，對待周邊的諸國，像對待吐蕃，吐蕃也就是西藏，從青海到西藏，打了多少年的仗，經常的打，從唐朝一直到清朝。清朝乾隆皇帝的盛世，大小戰爭死了好多人。你從內地發兵來到了西康，乃至跟西藏接界前的地方，大金川、小金川，那地方戰爭連年的戰禍，這還是乾隆盛世。如果不是盛世，戰爭更不用說了，互相侵害。凡是有戰爭的地方，有災疫流行的地方，瘟疫流行的地方，風不及時，水災的水不及時，火災的火不及時，不該燒的燒了。這是四大種四界的侵害，沒作好事，這就是報。

但是在末法的時候，這是不可能的現象。什麼不可能呢？人的心不可能。人心若可能的話，那就是正法了，不叫末法了。但是，我們不能要求全體那樣，要求我們個人總該可以。如果從你的心裡頭，淨作十善業，就是正法住世，我就是佛法住世，宣揚佛法，行十善業，不惱害任何人，任何人惱害我，我不還報，就是要求自己，這樣就是行菩提道了。佛法就長住世，菩提道也住世了。布施、持戒、忍辱、禪定、般若，六波羅蜜長久住世。「破壞一切衆邪惡道，於生死海不久沈淪」，生死海就沒有了，不存在了，沈淪就沒有了。

「常離惡友，常近善友，生生常遇諸佛菩薩」，大家不要認爲朝五台山，種了大善根，不可思議。不錯，你去朝五台山是種了大善根了。在五台山生長的人，他可不種善根，「名山底下無善人」。在名山住的，簡直沒有善人。

落實宗教之後，我帶著中國佛學院學生，二十多個學生朝五台山，正趕上天氣很熱。五台山在台懷鎭，也就是五台山的中心，每年到了七月，那個地方有個騾馬大會，方圓一二十縣的騾馬都要到台懷鎭去賣。我們當時要到那裡去給能海上師掃掃塔，要上大（黛）螺頂，那個地方全是騾馬，沒有豬。學生就問我：「老法師，這五台山怎麼這麼多騾馬？」我說：「你注意，要是修行不好，你就來了，可不是來人，就變成騾馬了。」我說：「這個五台山的騾，就是五台山周圍的這些人民，這些人民專門偷和尙，偷寺廟的東西，甚至於寺廟的石頭他都搬。」你說惡不惡呢？是不是在普陀山的人，在那個峨眉山的人，就行善事，不會的！爲什麼？你們自己猜一猜，或者是參一參，想一想就知道了。

要是能夠常常的「遇到諸佛菩薩恭敬承事，曾無暫廢」，短暫的時間都不廢捨，這就是「隨心所樂」了。你所要求的生極樂世界也好，生天也好，永遠是生於善道的，你或者是藥師佛琉璃光如來世界，隨便想到那兒，「各各安住於佛國土」，就是淨佛國土，十方無量諸佛的淨佛國土，你都去得到。到了佛淨國土，還不成佛嗎？一生成就，極樂世界再不受生死輪轉了。時間再長，反正得到「無上正等菩提」，究竟了。

「爾時眾中一切天帝及諸眷屬，乃至一切畢舍遮帝及諸眷屬，從座而起頂禮佛足，合掌恭敬，而白佛言：大德世尊！於未來世後五百歲，於此佛土法欲滅時，若有眞善刹帝利王，乃至眞善婆羅門等，於十惡輪自能遠離，亦能勸他令其遠離，善護自他，善護後世，護持正法，紹三寶種，皆令熾盛無有斷絕。以要言之，如佛所說，如是等人，於三乘法，恭敬聽受，終不隱藏，於三乘人，護持供養，不令擾惱，於三寶物，勤加守護，不令侵損。我等眷屬，於此眞善剎帝利王，乃至眞善婆羅門等，勤加擁護，令其十法皆得增長。」

「畢舍遮帝」就是吸血鬼的王，畢舍遮是鬼一類。「及諸眷屬」，這是菩薩化現的，別把他當成鬼，他是鬼，就到不了這個法會，那是菩薩化現的、示現的。像我們看《地藏經》有好多鬼王，那些鬼，都不是一般的。主命鬼王不是未來成佛嗎？佛給他授記。七十劫他就要成佛了，那是大菩薩示現的。「從座而起」，不是一個人、兩個人。諸天帝釋，天帝包括很多，還有來的都是他的諸多眷屬，這個中間「乃至」就超略了。還有，八部鬼神衆的鬼王，還有很多「頂禮佛足，合掌恭敬」，這是對佛禮敬的儀式。

「而白佛言：大德世尊！於未來世後五百歲，於此佛土法欲滅時，若有眞善剎帝王，乃至眞善羅門等，於十惡輪自能遠離，亦能勸他令其遠離，善護自他善護後世，護持正法，紹三寶種，皆令熾盛無有斷絕。」這段經文就是大家共稱的，向佛表白。說在這個後世末法的時候，五百歲當中，佛法要滅了，這些國王、婆羅門等，他遠離十惡輪，還能勸其他的人遠離，善護自己，善護後世，護持正法，能夠紹隆三寶的種，皆令熾盛無有斷絕。「以要言之，如佛所說」，這段經文是不完全的，重覆佛所說的話。「如是等人，於三乘法，恭敬聽受，終不隱藏，於三乘人護持供養，不令擾惱」，擾是擾害。

「於三寶物，勤加守護，不令侵損。我等眷屬，於此眞善剎帝利王，乃至眞善婆羅門等勤加擁護，令其十法皆得增長」。這叫護法善神。我們經常說護法善神，護法善神有好多呢？那也是不可思議的數字。你有善，左右身邊就有護法善神。你受了三歸五戒，每一戒有五個護法善神，你破一戒，五個沒有了，五戒都破了，二十五個護法善神就都沒有了，所以要持戒，持清淨戒。每一戒都有五個護法善神，只要你一破戒，就沒有了。你也不可見相，要是破了戒，你感覺得懊惱，感覺得不舒服，那就是善神離開了，惡神就要來了。

在佛經、戒經裡面講，佛在印度那時候聽許比丘吃肉，但是大蒜、茖葱、慈葱、蘭葱、興渠等五葷是不能吃的。因爲吃了以後，晚上睡覺時那個鬼王、惡神就到你這邊來吃你，不是吃你的人，而是由你口裡出氣，他就吸那個氣，他就飽了，跟他相投的。所以佛不聽許比丘，乃至於他的弟子吃五葷，那個才叫五葷。我們往往把吃肉叫五葷，不是，這叫腥。腥不叫葷，葱蒜才叫葷。底下講十法，令十法皆得增長。哪十法呢？

「何等爲十？一者增長壽命，二者增長無難，三者增長無病，四者增長眷屬，五者增長財寶，六者增長資具，七者增長自在，八者增長名稱，九者增長善友，十者增長智慧。大德世尊！若彼眞善剎帝利王，乃至眞善婆羅門等，於十惡輪自能遠離，亦能勸他令其遠離，具前所說諸功德者，我等擁護，定當得此十法增長。」

何等爲十？一者增長壽命，長壽。二者增長無難，什麼災難都沒有，人家的災難到了你的面前就化險爲夷。有時候在台灣，我看見出車禍的現場，在路上隨時都可以看見，撞車，我就想就差那麼幾秒鐘，他開快一點，就過去了，他開慢一點，也沒有趕上。他不快不慢，剛剛趕上，這就叫業。

在西藏，我跟我依止的夏巴仁波切到各地弘法的時候，我都跟著他走。他說：「前面有土匪，是藏族的土匪！」我那個師父說：「等我們到了，就沒有了。」對，他搶完就走了，我們到那裡，他就沒有了。等我們離開了，剛好那土匪搶完回去了，把東西一堆，他又回來了。後面來的他又搶，只有我們中間的這一段略過去了。我問：「爲什麼？」我的師父跟我講：「我沒有這個業，他搶不到我。」

這是事實。你沒有這個業，你的壽命長，增長無難，增長無病。我們發菩提心，還有個增長心，善根隨時在增長，業障隨時在消失。你這個壽命，壽命不是定的嗎？還是不定的。像你這樣作，就增長壽命。人的壽命本來是六十歲，我們現在可以增長到一百歲，就是這樣子「增長壽命」，「增長無難」，「增長無病」，「增長眷屬」。不但你自己吉祥，跟著你的人都吉祥，他願意來親近你，願意跟著你。還「增長財寶」，「增長資具」，「增長自在」。這個就不容易，增長自在就是生活得很舒適、無煩無惱的，悠悠閑閑的，沒有什麼擾亂你的。做什麼事，都感覺自自在在的。

「增長名稱」，名譽就是名，現代人不是好名嗎？那個名不是你求得來的。你若作好事，名稱遠播，你像釋迦牟尼佛的名稱，十方法界諸佛都知道。阿彌陀佛，每個佛土都知道，不只我們這個世界要念佛求生淨土，十方的世界念佛求生淨土太多了，就到那兒去參學。知道吧！他到極樂世界去參學參學，極樂世界衆生要到藥師琉璃光如來、不動如來，他到各地去參學參學。所以在極樂世界那些菩薩，蓮池海會大衆們早晨起來，吃飯的時候，他到了十方十億佛土，上供回來了，他還未吃早飯呢！你可以參一參，這是什麼意思？

「增長善友」，好人要親近你，壞人都離開你，這就是「方以類聚，物以群分」，就是這個涵義。最後是「增長智慧」，要增長般若智慧。「大德世尊！若彼眞善剎帝利王，乃至眞善婆羅門等，於十惡輪自能遠離，亦能勸他令其遠離，具前所說諸功德者，我等擁護」。前面所說的就是十種，我們都擁護，使他長壽，乃至於增長智慧，使他有智慧。「定當得此十法增長」，我們護持他，使這十法在他的分內增長。

「復次世尊！若有眞善剎帝利王，乃至眞善婆羅門等，成就如前所說功德，我等眷屬勤加擁護，令於十法皆得遠離。何等爲十？一者遠離一切怨家寇敵，二者遠離一切非愛色聲香味觸境，三者遠離一切障癘疾病，四者遠離一切邪執惡見，五者遠離一切邪妄歸依，六者遠離一切邪惡災怪，七者遠離一切邪惡事業，八者遠離一切邪惡知識，九者遠離一切居家淤泥，十者遠離一切非時夭喪。大德世尊！若彼眞善剎帝利王，乃至眞善婆羅門等，成前所說諸功德者，我等擁護，定當得此十法遠離。」

除了這增長的十法，還有遠離的十法。「遠離一切怨家寇敵」，你的敵人，反對你的都離你遠遠的，乃至於我剛才說的強盜，強盜也遠離。「遠離一切非愛色聲香味觸境」，你不愛的色聲香味觸境不得現前，你愛的才現前。

非愛的就是你不愛的，你不愛的色聲香味觸法都不會現前。你的眼睛也看不見，耳朵也聽不見，不使你的六根沾到，這就是護法神給你免了。

「三者遠離一切障癘疾病」，傳染病對你不產生效果，隨便誰說得好厲害，你不用擔心。我不是跟大家講過，痲瘋病就是眼眉脫落，那個心就漸漸的發瘋了，完了他自己咬手指，一直在咬。在西藏要是得到這種病的人，就把他送到高山頂上，拿石頭給他起間房子，家裡人給他送飯的時候，都隔得很遠，叫他自己來取，直到他死為止。

在大陸上得這種痲瘋病也是有的，把你跟人群隔開，這種病很厲害。法國教堂專門收集痲瘋病，天主教的精神不可思議，我很讚歎他們。他們幾位護士小姐以及醫生，沒有一個活著回去的。他們就到這個裡頭來，多者五年，少者三年，再遲一點一定傳染上。他們在那裡頭生活，是為了治療病人，度拔他們的苦難。

我在監獄的時候，抓來這麼一個人，六十來歲了，捉進來才曉得他是痲瘋病者，就把他單隔一個房間，跟我們隔絕了。要有個人給他送飯吃，誰都不去。我說：「那我去好了。」那個差事很好，我也不用勞動了，什麼也不幹，我就天天給他送飯，那時候還餵他。到了後來，他已經混身爛了，問他痛苦不痛苦？他也不知道，他擺擺腦殼不知道，就是混身爛了。我從那屋出來，別人也不跟我共住了，我單住一間房。

後來很多醫生幫我檢查，說我沒有受到感染，這個時候又許我共住了。後來我確實沒有病，這個疾病不會傳染到我身上，自己有信心。但是那時候爲什麼我那麼作呢？我也是想死，這樣死了也很好，爛死了，消災免難了。但又不讓我死，大概是等著我現在能跟大家共同學習。有好多的事情是不可思議的，因爲當時傳染病非常的癘害。

一九六〇年我還在當犯人的時候，由於西藏的五九年動亂，許多藏民被押解出來，他們不容易生活，語言不通，你問他的幹部，問他的案情，問他什麼，讓他坦白，他也沒有辦法說，就找我去當翻譯，跟他們一同生活。那幾百人得了班疹傷寒，傳染的非常快，最初只有幾個人，後來二三百人都得了傳染病，我們所住的那個區，整個地區都戒嚴了。從北京，從全國各地調了五百個醫生來治療撲滅，死了好多人。每天死二十幾人，但是我還是不該死，也沒有事，我到現在檢查了，這種病毒我一點兒都沒有。爲什麼？我也沒有這個業，這種都是各人的業。

但是有什麼業呢？邪知惡見，我們還是有的，也不要認爲我們信佛了，一點兒邪見沒有了。我看每個人身上或多或少，正見多了，邪見就少了，因爲正見把邪見克服了。我們看問題，想事情，不對、不正確的地方多得很，千萬不要驕傲自滿。我們學的太少了，知道的太少了，而且知道了又不能去作，不能轉變你的心。

貪瞋癡，我們都知道是毒，誰沒有發脾氣呢？就是我們佛弟子，未信佛的人不說了，誰不起貪心呢？貪心就包括很多了，包括我們學善法。例如說我們持七遍大悲咒，七遍不成，得念一百零八遍，這是不是貪？但是隨善心所，這個不能劃到貪裡頭，但是涵義是有的。如果你念一遍，眞誠的，也是功德無量。一百零八遍盡打妄想，還不如一遍好，涵義就是這個意思。就是說你要一個誠心，眞正的信心。

「第四遠離一切邪執惡見」，有時候不那麼善順，不那麼調柔，聽見人家說了不去接受，我學這個學得好的，你們學的都不好，這還是屬於邪見。這經文說，你學了聲聞乘法，要是謗獨覺乘法，要是謗大乘法，就是邪見。學了大乘法，要是排斥聲聞法，排斥獨覺法，就是邪見。正邪，就是一念之間。所以我們就隨時多懺悔，不要固執己見，不要認爲我看見的都是對的，那不見得。你看見是黃的，別人看就是白的。因爲你戴的是有色眼鏡去看，因爲你有很多妄念，很多雜念，很多不正確的見解，怎麼看得正確呢？只有照佛的教導來證明正確不正確。

你不要固執己見。說這個邪知惡見，也不要怕，因爲你念阿彌陀佛，就是正見。你念阿彌陀佛也不排斥藥師佛，因爲你念阿彌陀佛，人家念《藥師經》就不可以，你怎麼不念阿彌陀佛呢？我往西邊走，你往東邊去，這不行，這樣就不對了，這叫邪見邪見。你說：「我那兒也不去，我是娑婆世界人，我幹什麼去極樂世界，很難！」這也不對，也是邪知邪見。信未入位的時候，很難說你是正知正見。信了之後，就完全對了嗎？都還不行，必須得到初住才不退，這叫發心住。再發菩提心，你以前發菩提心不算是，不是稱眞而發的。

「遠離一切邪妄歸依」，這就更多了，歸依三寶之後，還要去打卦，還要去信神。歸依了三寶之後，要想住世一百年，或者一千年，學習氣功，讓我身體更好一點，可以爲我治病，不是要保養身體長壽，只要賜我身體健康。要是眞正嚴格說起來，佛弟子就是你受了三歸五戒，要求很多。還有，我們有很多道友要受菩薩戒，你先學一學，你有沒有那麼大的膽子，發菩提心。我一脫離了菩提心，就下地獄，犯了，我懺悔，可以。我反正要成佛，這一念心就已經勝過好多劫。

所以要受菩薩戒之前，先學一學，你認識清楚了，才能眞正承擔，這樣才去受戒。三歸五戒跟菩薩戒是必須受的，能承擔也要受，不能承擔也要受。爲什麼呢？可以種成佛的種子，犯了就懺悔。怎麼樣懺呢？拜佛念佛都可以懺，甚至於念地藏菩薩都能懺。《占察經》也這樣講，說修二種觀，修不成「一實境界」，念我名字就好了，就稱念地藏菩薩名號，也能入修觀。

乃至於亦「遠離一切邪惡知識」。你這邪惡見是從哪來的？就是邪惡知識教的，遠離他們就沒有了。「遠離一切居家淤泥」，把居家當成泥坑，其實那些神，他也在淤泥裡頭，天人阿修羅六道都在淤泥裡頭。要是離開了，梵天就沒有淤泥，完了還會墮到淤泥裡，沒有究竟，不是成佛的。

「遠離一切非時夭喪」，死亡夭折，壽命未終，大家讀《藥師經》不是有九種橫死嗎？不該你壽終，遇見的時候不對，就像我剛才說的，早走一步沒有那個業，晚走一步也沒有那個業，你走快一點跑過去了，走慢一點沒有趕上，就是不快不慢剛剛好，這一走，他的車子一撞，就出事了。

「夭喪」，很難得說，小孩從娘肚子裡頭還未出生就死了。胎死的也有，乃至於壽命，什麼年齡死的都有，什麼橫死的都有。在香港也很多，他走在底下，上頭修工，掉下一塊磚，或者掉了什麼，正打在他頭上，他該死了，那怎麼不叫不是該死。怎麼辦？他就死了，這種事很多，這叫「夭喪」。「大德世尊！若彼眞善刹帝利王，乃至眞善婆羅門等，成前所說諸功德者」，前面說了，承前所說的功德，就是自己遠離十輪，又勸別人遠離十輪，成就這個功德，他一定得到這十法遠離，遠離這十種災難。

「復次世尊！若有眞善刹帝利王，具修如前所說功德令圓滿者，我等眷屬勤加擁護，令此帝王并諸眷屬及其國土一切人民，令於十法皆得遠離。何等爲十？一者遠離一切他國怨敵，二者遠離一切自國怨敵，三者遠離一切凶惡鬼神，四者遠離一切諐陽亢旱，五者遠離一切伏陰滯雨，六者遠離一切非時寒熱，烈風暴雨，霜雹災害，七者遠離一切惡星變怪，八者遠離一切飢饉荒儉，九者遠離一切非時病死，十者遠離一切邪執惡見。大德世尊！若彼眞善刹帝利王，具修如前所說功德令圓滿者，我等眷屬勤加擁護，令此帝王并諸眷屬及其國王一切人民，定當得此十法遠離。爾時世尊讚諸天帝及其眷屬，乃至一切畢舍遮帝，及眷屬言：善哉善哉！汝等乃能發此誓願，此事皆是汝等應作，由是因緣，當令汝等長夜安樂。」

還有遠離的，「何等爲十？」「遠離一切他國怨敵」，這個只說國王的。「遠離一切自國怨敵」，自己國家沒有怨敵，就不會叛亂，自軍不相殺，他軍也不來。「三者遠離一切凶惡鬼神」，凶惡鬼神不能侵擾。「四者遠離一切愆陽亢旱」，就是旱災，簡單說就是旱災。「五者遠離一切伏陰滯雨」，久陰不晴，完了就發大水。「六者遠離一切非時寒熱」，該冷的不冷，該熱的不熱，現在的氣候顚倒，就是這樣子。

我小的時候，東北是零下幾十度，最近變了，頂多到零下十度就不得了，而且夏天特別的熱，這就是風雨不及時，災害頻生。「烈風暴雨霜雹災害」，霜雹災害很多。「七者遠離一切惡星變怪，八者遠離一切飢饉荒儉，九者遠離一切非時病死，十者遠離一切邪執惡見」，跟前面有些相同的。「大德世尊！若彼眞善刹帝利王，具修如前所說功德，令圓滿者，我等眷屬勤加擁護」。那麼「令此帝王并諸眷屬及其國土一切人民，定當得此十法遠離」，這十法就是後面所說的遠離十法。

「爾時天藏大梵復白佛言：世尊！唯願聽我爲未來世此佛土中，一切眞善剎帝利王，說能護國不退輪心大陀羅尼明呪章句。由此護國不退輪心大陀羅尼明呪章句威神力故，令未來世此佛土中，一切眞善剎帝利王，不爲一切怨敵惡友之所摧伏，能令一切怨敵惡友自然退散，能善護持身語意業，爲諸智者常所稱讚，離諸惡法，常行善法，常離一切邪見邪歸，常於大乘精進修行勇猛堅固，常能成熟無量無數所化有情，智不依他，自然善巧，具能修行六到彼岸珍寶伏藏，遠離一切忿慳嫉等煩惱纏垢，常爲一切人非人等恭敬護念，諸有所爲，心無忘失，不捨有情，樂四攝事，常不遠離法器福田。」

天藏大梵是最初開始請問的。「世尊！唯願聽我爲未來世此佛土中，一切眞善剎帝利王，說能護國不退輪心大陀羅尼明咒章句」，不退輪，不退什麼呢？要持這個咒，護國不退輪心大陀羅尼明咒的威力，能夠令末法的佛國土中，所有眞正的好國王，「不爲一切怨敵惡友之所摧伏，能令一切怨敵惡友，自然退散」。他想征伐你，自己起內鬨，起變化了，他就退了就散了。

「能善護持身語意業」，這個就不容易，能使刹帝利這個善王的身語意不作錯事，不作諸惡，就是這個咒。

「爲諸智者常所稱讚，離諸惡法」，一切惡法都遠離了，常行善法，常離一切邪見邪歸，歸於不正當的。「常於大乘精進修行勇猛堅固，常成熟無量無數化所有情，智不依他，自然善巧」，這就是成就的智慧，不是依他而起的，而是自心的變化。我常常跟道友說，你讀誦大乘的時候，讀誦的遍數多了，這部經你本來不懂，讀完了之後，全懂了。前後貫通，也不需要請問人家。這叫「不由他得」的這種智慧，就從你精進修習中得來的，自然有善巧智慧。

「具能修行六到彼岸珍寶伏藏」，六波羅蜜是珍寶伏藏一樣的，能夠從生死海，出離生死到達涅槃彼岸。「遠離一切忿慳嫉等煩惱纏垢」，忿恨慳貪嫉妒障礙，這些煩惱纏擾著你，都是垢染。「常爲一切人非人等恭敬護念，諸有所爲，心無忘失」，得不思議智，也就是記憶力強，不捨有情，樂四攝事，布施、愛語、利行、同事，就是四攝法，以這個布施、愛語、利行、同事，這四種來攝受一切有情。「常不遠離法器福田」，常不離法，常不離法寶，這個福是無量的。

「佛言：天藏！吾今恣汝爲未來世此佛土中，一切眞善刹帝利王，說能護國不退輪心大陀羅尼明呪章句。由此護國不退輪心大陀羅尼明呪章句威神力故，令未來世此佛土中，一切眞善刹帝利王，不爲一切怨敵惡友之所摧伏，廣說乃至常不遠離一切諸佛及佛弟子。爾時天藏大梵即說護國不退輪心大陀羅尼明呪章句：

怛經他（唐言謂） 牟尼冒隸（一） 牟那揭臈筏（二） 牟尼紇梨達曳（三） 牟尼嚧訶毘折（常列切）隸（四） 牟尼曷栗制（五） 牟尼笈謎（六） 東訖羅博差（七初戒切） 鉢邏奢博差（八初戒切） 密羅博差（九初戒切） 騷刺婆紇栗帝（十） 妒刺拏紇栗折（章列切）隸（十一） 鉢怛邏叉紇栗帝（十二） 具具拏密隸（十三） 唈（烏合切） 筏叉薩隸（十四） 遏怒訶祇𡀔筏（十五） 牟尼鉢塔筏（十六） 莎訶（唐言善說）」

天藏大梵爲了護持這位眞善刹帝利王，使他的國家再也不受到災害，說了這麼一個咒，但是必須請佛答應。佛就許可他說，並且說這個咒很好，能夠使這一切衆生，使一切刹帝利王能夠得到很多的大利益，許可你說。

「怛絰他」，「怛絰他」是什麼呢？就是「即說咒曰」，每個經咒都有，經咒不是都很長的，但是「怛絰他」這個就是「即說咒曰」，也就是這才開始說咒，每個咒都有這句話。這以下才是眞咒，上面並不是眞的咒，〈楞嚴咒〉有很多不是眞咒，〈大悲咒〉也是。你要知道，從「怛絰他」起，這以下才是咒語，上面是什麼呢？上面是前方便，也就是講經說法的儀式、儀軌。所以〈楞嚴咒〉好多？「悉怛多般怛那」就是〈楞嚴咒〉，這叫咒心。還有一個短的，那個短的，比楞嚴咒短了，可是也很長，比這個「怛絰他」要多，每個咒都是這樣子。

「怛絰他牟尼冒隸」，「牟尼冒隸」本來應該說「摩尼」，翻的時候是隨音翻的，「牟尼冒隸」。念咒的音，你別去咬字，你要把那字音咬準了，如果念字會把那咒念錯了，你要是念「牟尼冒隸」就成了。「牟尼冒隸」略微不同。「牟那揭臈筏，牟尼紇梨達曳，牟尼嚧訶毘折隸，牟尼曷栗制，牟尼笈謎，束訖羅博差，鉢邏奢博差，密羅博差。」這個「羅」字，在咒語上都念「喇」，「密羅博差」。你別念原音，念「羅」字就錯了，念「密羅」應當加個口字，凡是音加個口字就念「喇」，「騷勑婆紇栗帝，妒勑拏紇栗折隸，鉢怛邏叉紇栗帝，具具拏密隸，唈筏叉薩隸，遏怒訶祇嚧筏，牟尼鉢塔筏，莎訶。」「莎訶」就是成就，一切已經成就了。

「天藏大梵說是呪已，復白佛言：唯願世尊及諸大眾，於我所說大陀羅尼皆生隨喜。世尊告曰：善哉善哉。一切大眾亦作是言：善哉善哉。」

天藏說完這個咒，他說：「我希望世尊跟一切大衆對我所說的咒能夠生歡喜心，能夠生隨喜心。」世尊告曰：「善哉，善哉。好，我隨喜，我隨喜。」大衆也都說：「善哉，善哉，我隨喜。」

「爾時世尊復告尊者大目乾連，及告彌勒菩薩摩訶薩曰：善男子！汝等皆應受持如是天藏大梵所說護國不退輪心大陀羅尼明呪章句，傳授未來此佛土中一切眞善刹帝利王，令自受持，及令流布。由是因緣，彼諸眞善刹帝利王并諸眷屬及國人民，一切皆得利益安樂常轉法輪，名稱高遠，威德熾盛，摧滅邪見，建立正見，守護法眼，紹三寶種，皆令熾盛，無有斷絕，成熟無量無邊有情，於大乘中，堅固淨信，久住圓滿，能具修六波羅蜜多，斷一切障，速到究竟。」

天藏大梵天說完這個咒之後，他要求世尊跟著大衆隨喜，佛就告訴大弟子目乾連跟彌勒菩薩，彌勒菩薩是菩薩衆的大弟子，目乾連是聲聞衆的大弟子。彌勒菩薩是在印度降生的，示現肉身的，跟觀世音菩薩不同，觀世音菩薩不是這個世界的，而是化現的。

佛就對目乾連跟彌勒菩薩說：你們都應當受持天藏大梵天所說的護國不退心陀羅尼明咒，讓未來世的佛國土中，眞正求解脫心的，作到眞善的。這樣的國王刹帝利種姓的國王，令他自己受。同時，以他這個領導的國家的人民，讓大家都來受。這樣子使這個國土得到利益、安樂。以此咒故，能使這個正法常住，法輪常轉。

同時，國王的名稱也是高遠威德熾盛，那麼這個國土裡頭的邪知邪見就少了，建立一種正知正見，這就是咒的加持力。這咒的加持力守護法眼，法眼就是佛法住世，等於眼目一樣。人有眼才能看，沒有眼根，什麼也看不成，這樣子才使三寶永遠的常久住世，還能夠發揚光大，永遠不會斷絕。有法了，就能夠成熟無量無邊有情，一切衆生聞法就能得到解脫，就能得度。

我們講《占察善惡業報經》的時候，就是讓我們成就這個信心。那位發起的菩薩就叫堅淨信，我們現在的信心，像空中的毛似的，隨風吹的，遇著什麼境界就吹到什麼地方，既不堅定也不清淨。堅固信心好像很容易，如果能夠有信心，就可以成佛了。這是因，成佛是果。修清淨信，要一萬大劫，很不容易的。

我們現在所修的就是使我們這個清淨信心，常時堅固不動搖。我們遇著一個境界，就動搖了，這樣你要想得到圓滿的佛果，是不可能的。要想修六波羅蜜，也不可能。必須有清淨信心，六波羅蜜都能具足了，沒有清淨信心，你作什麼事情都滲雜著污染、不純。

例如，現在我們也行布施，也行捨。你那個捨，捨得不清淨，好比現在冬季來了，我們有多餘的衣物，捨一點，你當捨的衣物，你是什麼心？這個關係就很大了。而清淨信心，尊敬別人，不要當別人是討口子。

我們在《占察善惡業報經》一再講，在《地藏經》上，地藏菩薩來請示佛，爲什麼布施之後，有一生受福的，有十生受福的，有百生千生受福的，乃至有受福無量的？爲什麼同是一樣的布施，同是這麼多的物質，是在心上分別了。如果是尊敬別人的心，是供養心，如果是行供養，是供養佛、供養法、供養僧。

一般的經上差不多都是供養佛、供養法、供養僧。但是修密宗的時候，尊重一切衆生，他就供養一切衆生。供養佛、供養法、供養僧，還供養一切衆生，就是鬼神，也把他們都當成衆生看待，都是補特伽羅。

用這個心供養一切，盡虛空遍法界無窮無盡的，那樣你的功德就大了，雖然施的物質不多，心量大了。我們懺悔的時候也是一樣，雖然是說作的這個惡不大，但是晝夜相續，其心猛厲，那個惡就大了，那惡是遍法界的。我們爲什麼一直不得出離？不能圓滿成佛？就是這樣的原因。得用心懺悔，這樣才能得到究竟。

「爾時世尊重顯此義而說頌曰：

時天藏大梵　請問兩足尊　利根等有情　樂修定誦福
聽慧王成法　爲升進沈淪　所修三事中　唯除惑不退
世尊告彼言　若犯無依行　雖覺慧猛利　而趣無間獄
非眞聽慧故　樂行十惡輪　斷滅諸善根　速趣於地獄
定能斷煩惱　非聽誦福業　故欲求涅槃　常當修靜慮
有慧勤精進　護持我正法　由敬信袈裟　能度煩惱海
樂處空閒林　遠造無同類　敬持戒修定　能度諸有海

普信敬三乘　興隆我正法　供養染衣者　當成功德海」

〈無依行品〉這一段經文基本上已經圓滿了，佛又把這個涵義重說一下子。這一段偈頌就是天藏大梵請問的，把他的話重覆一下。這個天藏大梵天，他來「請問兩足尊」，這是世尊說的偈頌，不是天藏大梵說的。所以佛就在這個義意顯完之後，再重說一下。

爲什麼呢？佛說法的會場上並不是一直都在這兒坐著的。也有中間來的，他這段經文沒有聽到，佛給他重說，再補充一下，不過說的沒有那麼詳細。佛在世的時候，像迦葉尊者，像文殊師利菩薩，這些菩薩衆、聲聞衆，他們經常有個人的化度事業，走的很遠。佛在這個集會的法門，沒有等他回來了，已經說的差不多了，又給他用偈頌說一遍。這些都是有智慧的，略微一點，他就明白了，不需要再詳細說。偈頌，有的很長，有的很簡略。前面說長行的時候，說了那麼多偈頌才一頁，就把前面的意思概括了。

這個天藏大梵天問：「修定、修福、誦經，哪一個好？這三個裡頭，以哪一個爲最上？有沒有次序？」因爲在他請的時候，佛就給他說過三種業，修定的業，持誦的業，營造福的業。

世尊就告訴他，「告彼言」，這三個都好。如果犯行無所依的時候，你這個行爲不能生功德，不能生福德，修這無依行，也就是他所作的事業，是無依行的，沒有依三寶，乃至於反其道而行，也就是不聽如來的教誨。雖然他很聰明，有這個覺慧，也很猛利。但是他犯了無依行，前面講了十種惡輪，隨有一輪，他所修的都不成就，就算怎麼聰明，怎麼有智慧，還是會下無間地獄的。爲什麼呢？因爲他的聰慧不是眞的，「非眞聰慧故」，眞正的聰慧是什麼樣子呢？不作十惡。像前面說的十惡輪，他一個都沒有，這是眞正聰慧了。我們現在學過了十惡輪，自己可以拿來對照一下，我們有沒有十惡輪的行爲？

舉個例子，吃葷吃素這個問題令人很困擾。有的他想出離也厭離生死，厭離世間苦惱，他也想念佛生極樂世界，東方是吃肉喝酒，他放不下。有的人認爲要他吃素，就有困難，確實有困難，因爲他自無始劫來的習慣，就有困難。他要是看見出家衆，有的出家衆吃葷，有的出家衆是吃素，那麼他就選擇吃葷的。吃葷的，要是西方佛也要成，東方肉還要吃。你說這樣子，從心理上，這個事情沒有關係，看你解脫不解脫？但是從心理上犯了，這個不是眞正有智慧的。

還有，穿的衣服，我們穿衣服，穿好穿壞，我認爲穿衣服應當注重。夏天要穿得薄一點，涼快一點，冬天穿保暖一點。衣服本來是保護我們身體的。現在是錯了，穿衣服是給別人看的，現在這個時代，興時髦，穿衣服是給人看的，自己很受罪，把身體箍得很緊，很不舒服。像美國有一些公司規定，上班一定就要穿裙子。冬天這麼冷，零下好多度，她穿的很漂亮，兩條腿還光著，美國婦女的腿就產生很多毛病。特別是婦女，引起經血不調、下身的種種毛病，她也寧可捨生命都要穿得漂亮一點，怕不漂亮，引不起人家的愛。你們看，不論打口紅、化粧，爲什麼要人家看得喜歡，不是爲自己！而是爲了別人，這是沒有必要的。

從前有一位老和尚，他得了一份施主的供養，這一家子是從他修道的時候，都是這一家善施家供養，已經兩三代供養他。他的壽命很長，老和尚在山裡修行。有一次，這家人正在辦喜事，這老和尚又來這兒，他來化緣了，來取米，他在門口看見這家人正在辦喜事，就哭起來了。別人問他說：「老和尚，我們今天是大喜事，您到這兒來，怎麼您給我們報喪，您在哭什麼呀？」他說：「可憐我的老施主，可憐衆生苦，孫子娶祖母。」他說：「這是我親自看到的。他又來了，作人了，給他孫子作媳婦。」「豬羊席上坐，六親鍋裡煮。」

當他祖母結婚的時候，六親都變成豬羊了。而現在這孫子結婚的時候，那些豬羊都在席上坐，那些鍋裡煮的，是過去那時候的六親。他有神通，就這樣看到，這都是警策的意思。我們爲什麼要放生？要救度衆生懺罪，放生消業最快。你不想得病，放生就好了，讓別人的生活愉快，你的生活也就愉快了。他把善根都斷了，去行十惡輪。不下地獄嗎？當然下地獄。

我說，「定能斷煩惱，非聽誦福業」，那麼，定不是聽誦的福業，這個福可能落到世間福，是這個涵義。你想要求涅槃，應當常時修定，修靜慮。

靜慮不一定是禪坐，靜慮是說你的心要常時的觀察。或者止觀察，止觀察就是定，或者慧觀察，慧觀察就是修慧，也就是止觀雙運，定慧雙修，是這樣的涵義。要是有智慧了，再加上勇猛精進的修行，怎麼樣修行呢？護持我正法，護法就是修行。

「由敬信袈裟」，就信這個衣。因爲在前面舉了很多例子，就是那個鬼、羅剎利鬼見了一片的赤袈裟，他都不吃那個人，也就是要敬信。恭敬生起清淨的信，可別打折扣了。「能度煩惱海」，就是這麼一個信心，能把生死苦海度過去了。

其次，不要找熱鬧的地方，找那空閒的林間，不要跟一些同類的惡人，乃至於社會的憒鬧都要遠離。那樣你修定才能修得成功，持戒才能持得堅固。乃至於「敬持戒修定」，在那個地方，外面是客觀的環境，不使你能夠犯罪，犯罪的機會少。在那定境內，貪心也不生了，特別是在尸林裡頭坐，你看一下又送了一個死尸，一下又送了一個死尸，死完了腐爛，一看著就生起厭離心了，你也如是，自己的身體也會這樣。

所以，那些在人間幻化度衆生，他不把衆生看成是眞實的，他只看成是如夢幻泡影。要是衆生都是眞實的，菩薩一天的說大悲心，恐怕他自己就苦惱得要死了，他不會受這個境轉的，他認爲這是幻化的。像我們這樣沒有定力的，也沒有很多善根的，只能遠離，不要到憒鬧的地方，這才能夠度到這個諸有海。

「普敬信三乘」，在三乘之後，不起分別，聲聞乘也好，緣覺乘也好，菩薩乘也好，這樣才能「興隆我正法」。「供養染衣者，當成功德海」，你想求功德，就多供養出家人，離欲清淨。你不去分別這個是不是聖僧，那個是不是破戒的，你心裡根本不起這個念頭，一切都是佛子。

「能伏難調心　不舉苾芻罪　修知足聖種　當成兩足尊
遠離惡苾芻　親近聖行處　不食用僧物　速證大菩提
三界中安樂　皆由三寶生　故求安樂人　常供養三寶
旃荼羅王等　朋黨惡苾芻　於三寶起過　速墮無間獄

十壓油輪罪　等彼一婬坊　置彼十婬坊　等一酒坊罪
置十酒坊罪　等彼一屠坊　置彼十屠坊　罪等王等一
眞善國王等　興隆我正法　普供養三乘　當成功德海
七寶滿贍部　奉施佛及僧　彼所獲福聚　不如護佛法
爲佛僧造寺　量等十四洲　彼所獲福聚　不如護佛法
造佛窣堵波　量等三千界　彼所獲福聚　不如護佛法
解阿羅漢縛　種種修供養　不障我正法　其福勝於彼
千俱胝劫中　智者勤修定　所生勝覺慧　不如護我法
眞善國王等　遠離十惡輪　護持我正法　及著袈裟者
不毀謗我說　三乘法及人　普聽聞供養　護持說法者
不損三寶物　不障著袈裟　常敬器非器　福勝無倫匹」

「能伏難調心」，把你的心調好就好了。這個心是難調難伏的，你信了佛，聽了兩部經，聽到馬上轉變。不過心很難得駕馭，比任何事物都難駕馭。有的道友說：「我一打坐，妄念這麼多。」就是因爲打坐，你才認得妄念，不打坐，你哪曉得這是妄念，因爲你就在妄念裡頭。蘇東坡的那首詩，「橫看成嶺側成峰，遠近高低各不同，不識盧山眞面目，只緣身在此山中。」

你在煩惱裡頭，是看不見煩惱的。因爲你修定，或者聽經一對照，這樣是煩惱，那樣是煩惱，不然，你怎麼知道？因爲你聽了經，在這兒打坐，你又起個妄念，一個妄念半個鐘頭又過去了，就隨著妄念轉。

假使你沒有學佛，沒有幹什麼，半個鐘頭，二十四小時，你都隨著妄念轉，你怎麼認識呢？醒的隨妄念轉，黑夜作夢還是隨妄轉，完全沒有作主的時候。大德有時也作不了主，不是登地的三賢位菩薩，有時也作不了主。

阿羅漢也是斷了見思惑，在沒有入定的時候，他也作不了主。爲什麼他要灰身泯智，要把這個肉體燒了。儘管他有神通，上身出火，下身出水，十八變神通，自己把自己化了，沒有這個肉體了，斷了，這是眞正入了涅槃。

到了一定程度的時候，他又起了變化，不是那麼的簡單。

如果研究阿羅漢，阿羅漢有很多種阿羅漢，也有退地阿羅漢，他不往前進，不度衆生，不利世。未成佛之前，非得到八地菩薩不動地，那才不退。不退，有位不退，有念不退，念不退很不容易，懂得這個道理就好了。

一切法要知足，「修知足聖種，當成兩足尊」，主要是對著貪，特別的是我們生死流轉的就是欲，愛欲，這是我們生死的根本。「遠離惡苾芻，親近聖行處」，親近好比丘，不要親近惡比丘。前面告訴你不要分別，那是說你供養的時候不起分別，你自己要想修行的時候，要選擇哪個是善友？哪個是惡友？如果你有力量可以轉惡，像文殊、普賢、觀音、地藏那些菩薩，他不分惡善，愈惡，愈度他。我們沒有這個力量，一般的人沒有這個力量，佛就告訴我們說，那個惡比丘，你少親近他，你要親近有聖行的，恭敬僧。

還有，千萬不要用僧物，寺廟的僧，凡是提到僧，就是僧伽，僧伽就不是一個人，一個人不稱爲僧，只有出家是稱爲比丘。僧必須三個以上，僧物就是三個以上大衆僧的物，你不要用。要是這樣子，你親近善友，不沾常住物，很容易就可以成到菩提果，這就等於不盜，親近善友就等於尊敬僧。

惡比丘，你見他，因爲你要受害，但是你供養他的時候，不因爲他是惡，你就去批評。所以前面說了很多次，供的是赤袈裟，他披著袈裟了，你恭敬的是他的僧相。這樣子在三界之中，你就能得安樂，使佛法僧三寶生起，所以想求安樂的人，「常供養三寶」，這就是有依。之所以無依，是因爲他沒有親近三寶，無依了。下面就是有依，他所作的都是親近三寶的，這就叫有依。

「旃荼羅王等，朋黨惡苾芻，於三寶起過，速墮無間獄。」前面說了很多，現在的比丘還有拜把兄弟，我就遇見好多起，印尼的跟新加坡的幾個人都是中年，五、六十歲了。現在的比丘跟比丘還互相拜把兄弟，你說這事對不對？我想誰聽了都覺得不對，這叫結朋結黨。這是惡比丘，他經常在佛法僧的面前作過罪，很快就下地獄了。

前面的「十壓油輪罪，等彼一淫坊，置彼十淫坊，等一酒坊罪，置十酒坊罪，等彼一屠坊，置彼十屠坊，罪等王等一。」惡性王的罪，十酒坊的罪，你作國王的，隨作一個罪就有如是十酒十坊的罪。因爲國王，他的力量大，造的罪也大。修善大，罪也大。「眞善國王等，興隆我正法，普供養三乘」，對三乘不起簡擇，「當成功德海」，要這樣的供養，功德很快成就了。

「七寶滿贍部」，就是七寶滿贍部洲，這是前面說的，「奉施佛及僧，彼所獲福聚，不如護佛法。」物質供應，是有限的，也有斷的時候。要是護持佛法，使未來的很多人得度，這個功德無量。「爲佛僧造寺，量等十四洲」，這個涵義，前面的經文都說過的，這是重頌。「彼所獲福聚，不如護佛法」，不如護持佛法的功德大。「造佛窣堵波，量等三千界」，造那間廟，造得很大，三千大千世界那麼大的廟，他所獲的福聚也「不如護佛法」。「解阿羅漢縛，種種修供養，不障我正法，其福勝於彼」，這也是護法的。前面講，把那阿羅漢縛起來，或者要迫害他，把他救了，解脫了。之後，又對這些阿羅漢作種種的供養。這些功德都不如護持正法好，不障正法的功德，他的福德勝過前面。

「千俱胝劫中，智者勤修定，所生勝覺慧，不如護我法」，你只爲了個人修一千劫，乃至有智慧，那麼修定產生了勝覺慧，但是也不如護持我正法的功德大。那是只爲自己，沒有利益衆生。只要有佛的法眼在，一切未來無窮無盡的衆生都得度，所以大家要弘揚佛法，不要找藉口說，我沒有學問，我也不懂得怎麼弘揚。你就勸別人念句阿彌陀佛，這就叫作弘揚佛法了。你給他說一部《金剛般若波羅蜜經》，乃至說一部《大方廣佛華嚴經》，說一部《妙法蓮華經》，他聽見這個法的名字都是弘揚佛法了，善根種了，人人都能弘法。

所以三寶弟子，比丘、比丘尼、優婆塞、優婆夷都應該弘法。乃至我們經常對那畜生，也給牠說三歸，你說：「牠聽得懂嗎？」你不要認爲牠聽不懂，你要認眞給牠說，牠就得度了。愈是小的衆生，像螞蟻就很多的，你家不是有蟑螂嗎？不是有老鼠嗎？你不要傷害牠，你給牠說三歸，你說：「你在我這兒不適合，我遷你的單，你走開。因爲我很容易傷害到你，別人看了也不清淨，我會把你打死，你走！」你給牠說三歸，說法，你試試看，不要生起煩惱心，不要傷害牠。

「眞善國王等，遠離十惡輪，護持我正法，及著袈裟者。」不但護法，還要護僧，不毀謗我說三乘法及人。「普聽聞供養，護持說法者。」使你護持那個說法者，別的不會說，就念句阿彌陀佛都可以，善勸一切人。但是你可千萬不要毀謗，凡是佛所說的法，佛所說的話都不毀謗。聲聞法，緣覺法，菩薩法，任何只要是佛所說的法，你都不毀謗，乃至於護持的人。這是指說法者，你要普聽，只要他說的是佛法，常聽聞還要供養。護持說法者，或者凡是說法者，都要護持他。

其次，不損三寶物。佛法僧的物，你不要去毀壞。「常敬器非器」，是法器的也好，不是法器的也好。是法器的，就是清淨的比丘，不是法器的，就是破戒的比丘。或者是清淨的近事男，清淨的近事女，就是他受了三歸五戒，他是清淨的。受了三歸之後，告訴你，「歸依佛，終不歸依外道天魔等」，就再不拜鬼神，去求鬼神加持。任何情況之下都不作，乃至於失命。歸依佛之後，就不歸依鬼神。受三歸，歸依法了，不歸依外道典籍，歸依僧了，不歸依外道邪衆，這叫三歸清淨。有很多人三歸不清淨，更不用說五戒、菩薩戒了，三歸都不清淨，這應當注意。這是很重要的事。

「福勝無倫匹」，要是能夠這樣作，不管清淨不清淨，我都平等對待，並且我也不去求他的過。我怎麼知道他清淨不清淨？因爲你或者是聽別人議論，或者你參與議論，你就知道他清淨不清淨。拿聖教量，就來量他一量，不要這樣作，他有他的果報。

「如五日並現　大海皆枯竭　如是護我法　能枯竭煩惱
如風災起時　諸山皆散滅　如是護我法　能除滅煩惱
如水災起時　大地皆漂壞　如是護我法　能壞非愛果
如如意寶珠　隨所願皆滿　如是三乘法　能滿眾生願
如遇得寶瓶　除貧獲富樂　如是遇佛法　滅惑證菩提
如十五夜月　明照滿虛空　如是護法人　智慧周法界
如虛空平等　無物亦無相　如是護法人　知諸法一味

如日放光明　恆除世間闇　如是護法者　常普照世間」

「如五日並現，大海皆枯竭，如是護我法，能枯竭煩惱。」這個世界到了末日的時候，火災就是這麼生起的，五個太陽還不行，到了最後，出現七個太陽，七個太陽一烤，全都是火了，什麼都焦了。山上也起火，石頭也起火。你看原子彈，原子彈的火就是這樣子，什麼事物都是可燃物。那麼五個太陽出來，所有的海水都乾了，你要是護持佛法，你的煩惱都枯乾了，五個太陽就變成了智慧。

「如風災起時，諸山皆散滅，如是護我法，能除滅煩惱。」風災一起，把山都摧毀了，吹到空中就變成微塵了。這種情形大家可以看到，像龍捲風。「如水災起時，大地皆漂壞」，整個大地都讓水泡了。「如是護我法，能壞非愛果」，就證聖果，愛是不好的，非愛是好的，這就是壞的意思，壞非愛壞，使那個愛不能產生果。

「如如意寶珠，隨所願皆滿，如是三乘法，能滿衆生願。如遇得寶瓶，除貧獲富樂。」這是神話，如果到過大海採寶，得到這個寶瓶，那個寶瓶裡，你想要什麼，寶瓶就生出了什麼。大家有沒有看過〈天方夜譚〉？看過〈天方夜譚〉，就曉得神燈之說。這可不是那個寶瓶，而是佛說的，要像那個觀世音菩薩寶瓶裡頭，什麼都有，像地藏菩薩寶珠裡頭，什麼都有，這是除貧！那就獲富樂。

「如是遇佛法，滅惑證菩提。如十五夜月，」如每月十五的月亮，光明普照，「明照滿虛空，如是護法人，智慧周法界」，那智慧遍於法，「如虛空平等，無物亦無相，如是護法人，知諸法一味。如日放光明，恆除世間闇，如是護法者，常普照世間。」太陽一出來，世間的暗都消了。所以誰護持佛法，他就像太陽一樣的，普照於世間。護法有深有淺，就看你怎樣護。

但是有一個條件，我們不要毀謗。不論誰說法，你都讚歎隨喜，不說不，只說好，這樣就叫護法，這也是護法。凡是有法寶所在的地方，你就恭敬他，當佛在一樣，法寶就是佛的法身，也是你的法身。你這樣恭敬、尊敬，我們有些體會不到，過去的大德很注意這種事情。

現在不論是在家的道友居士，即使是和尚，好多廟裡的和尚也不大講究了，一般的小和尚更不用說了。拿著佛經不夠珍視，拿著佛經，像拿著一本書似的，甩甩褡褡的。我們在家的道友更不用說了，他要是能夠把書捧著，總是這樣尊敬的，這就是佛的法身，得要這樣恭敬。

〈無依行品〉到此就講完了。

無依行品 竟

國家圖書館出版品預行編目資料

地藏菩薩的戒律法門：大乘大集地藏十輪經【無依行品第三】
夢參老和尚主講；方廣編輯部整理．--2版．
--台北市；方廣文化，2008.12--(民97)
面：　　公分
ISBN 978-986-7078-23-0(平裝)
1.方等部

221.35　　　　　　97022277

地藏菩薩的戒律法門

大乘大集地藏十輪經【無依行品 第三冊】

主講：[上]夢 [下]參老和尚
錄音整理：梁國英、溫哥華地區道友、方廣編輯部
封面設計：大觀創意團隊
出　　版：方廣文化事業有限公司
住　　址：台北市大安區和平東路一段177-2號11樓
電　　話：(02)2392-0003　　傳　真：(02)2391-9603
劃撥帳號：17623463　方廣文化事業有限公司
總 經 銷：聯合發行股份有限公司
電　　話：(02)2917-8022　　傳　真：(02)2915-6275
出版日期：2023年6月　2版6刷
定　　價：新台幣260元
行政院新聞局出版登記證：局版臺業字第六〇九〇號
網　　址：www.fangoan.com.tw
e-mail: fangoan@ms37.hinet.net

【夢參老和尚的叮嚀】

本書經夢參老和尚授權出版發行

如有缺頁、破損、倒裝請電：(02)2392-0003

No：D507-3

淺說五十種禪定陰魔
《楞嚴經》五十陰魔章
夢參老和尚
開悟的楞嚴　初入佛門者不可或缺的導引
學習佛法應克服障礙，本書列舉了五十種修道上的危機，是初入佛門者不可或缺的導引。
淡極始知華更豔的說法境界
公元二〇〇八年三月，夢參老和尚在台弘法進入尾聲之際，因夢境之敦促，生起了開講《楞嚴經》的心願；
面對深 皺澀的 句，老和尚此次開演楞嚴大意，以疏淡的方式凸顯《楞嚴經》的典雅莊嚴，
希冀大家能在楞嚴大法中信仰妙明真體，銷除億劫顛倒想。
淺說五十種禪定陰魔　《楞嚴經》五十陰魔章
夢參老和尚主講
方廣文化出版　25K平裝　定價新台幣320元　ISBN：978-986-7078-30-8
廣